D1435242

Cher Journal

Ma sœur orpheline

Au fil de ma plume
Victoria Cope

JEAN LITTLE

TEXTE FRANÇAIS DE MARTINE FAUBERT

Éditions SCHOLASTIC

Guelph, Ontario
1897

Ce journal appartient à

Victoria Joséphine Cope
264, rue Woolwich
Guelph
Province de l'Ontario
Dominion du Canada

Mai

Lundi 24 mai 1897, 10 h du matin

Le 24 mai
L'anniversaire de la reine, il faut célébrer.
Mais il faut qu'on nous donne congé,
Sinon, nous allons tous nous sauver!

Heureusement, nous avons eu congé d'école. Comme d'habitude. Et, comme je suis née le 24 mai, j'ai toujours congé le jour de MON anniversaire. Aujourd'hui, j'ai eu onze ans, et la reine Victoria, soixante-dix-huit ans. Bon anniversaire à Sa Majesté et à moi aussi, loyale sujette qui porte son nom, Victoria Joséphine Cope.

En juin prochain, nous allons célébrer les soixante années de règne de la reine. Elle a été couronnée à l'âge de dix-huit ans. Maman dit toujours « à seulement dix-huit ans », avec le même ton de voix que si elle avait eu cinq ou six ans. Mais moi, je pense que dix-huit ans, c'est déjà bien assez vieux pour devenir reine.

Je n'ai pas le temps de continuer, mais je ne pouvais pas me retenir d'écrire tout de suite dans mon beau journal tout neuf que j'ai reçu en cadeau d'anniversaire. Je devrais peut-être l'appeler mon « cher journal » et m'adresser à lui comme à un être humain. Je vais essayer une autre fois, pour voir ce que ça donne. Je n'ai jamais tenu mon journal, en tout cas pas comme je le fais maintenant dans ce beau gros cahier avec un ruban pour marquer la page.

Je te reviendrai dès que possible, cher journal. C'est difficile de trouver des temps libres quand on est une fille. Tom et David ont des tâches bien précises et, quand ils les ont terminées, ils sont libres de leur temps. Dans la maison, il y a toujours du travail.

« L'homme travaille du lever jusqu'au coucher du soleil, mais la femme ne cesse jamais », comme disait ma grand-maman Sinclair.

Une grande vérité!

Encore mon anniversaire, au début de l'après-midi

Maman s'est endormie. C'est bizarre. Normalement, elle ne se repose jamais durant la journée, mais ces derniers temps, chaque fois que j'ai congé à l'école, je remarque qu'elle fait un petit somme après la vaisselle du dîner. Moi qui pensais que la sieste, c'était pour les tout petits enfants et les très vieilles personnes. Quand maman dort, on dirait que la maison est vide.

Mais c'est loin d'être vrai. Les garçons sont partis jouer avec leurs amis, papa est dans son bureau, et j'entends Peggy qui marche de long en large dans sa chambre, au bout du couloir. Je me demande ce qu'elle a. Elle ne chante pas. D'habitude, elle fredonne une complainte ou un autre genre de chanson triste, et elle la recommence, encore et encore, jusqu'à ce qu'on ait envie de hurler pour lui demander d'arrêter. Si tu l'entendais chanter ses rengaines, cher journal, tu comprendrais tout de suite ce que je veux dire. Quand Tom et moi allons nous en plaindre à maman, elle nous dit toujours qu'il ne faut pas la prendre à rebrousse-poil, car c'est une bonne fille, bien travaillante, comme on en trouve peu.

Mais, assez parlé de Peggy. En ce moment même, personne au monde ne sait où je suis ni ce que je suis en train de faire. Je me sens comme si j'avais reçu un petit bout de temps pour moi toute seule, en guise de cadeau d'anniversaire.

Et j'en ai tout de suite profité pour venir te retrouver, cher journal.

Quand je serai grande, je veux écrire des romans, comme Louisa May Alcott qui a écrit les histoires de la famille March. Après tout, je m'appelle Joséphine à cause de Jo March, et aussi de grand-maman Cope. Jo March est le personnage préféré de maman, même si, d'après moi, maman ressemble beaucoup plus à Meg. Quand je lui ai dit ça, elle m'a répondu avec un petit sourire :

« Mais je me sens comme Jo, à l'intérieur de moi, Victoria. Et puis, voudrais-tu vraiment avoir une maman qui saute les clôtures? »

Pourquoi pas?

Je vais commencer par décrire toute ma famille. Les écrivains doivent toujours décrire leurs personnages. Ce sera un bon exercice pour moi.

Mon père, Alastair John Cope, est médecin et il essaie de changer un peu le monde afin de rendre la vie plus facile pour les pauvres. Mais heureusement que les riches l'aiment, sinon nous deviendrions pauvres nous aussi. Il est grand et pas mal beau. Il a les yeux noisette, comme moi, et les cheveux châtains, comme moi aussi. Sa moustache est de la même couleur, mais avec un peu de gris. Il est gentil, mais un peu trop taquin à mon goût.

Il a son bureau chez nous. On y entre par une porte de côté, où on peut lire sur une plaque : Dr ALASTAIR COPE, M.D., médecin et chirurgien.

Ma mère s'appelle Lilias Jemima Cope et elle s'occupe de toute la famille. Elle a les cheveux de la même couleur que la table de la salle à manger. Je crois que c'est du bois d'acajou. Et ses yeux sont bleus comme les myosotis. Elle est très posée et pleine de dignité, mais elle sait aussi s'amuser. Un jour, j'ai entendu papa lui dire qu'elle était comme un beau grand voilier, et je trouve que la comparaison est bonne.

Moïse, notre chatte trois couleurs, vient juste de sauter sur la table pour voir ce que je suis en train de faire. Alors je vais parler d'elle maintenant. Elle s'appelle Moïse parce que mon frère Tom l'a trouvée dans la rivière. Quelqu'un avait essayé de la noyer, mais elle avait réussi à s'accrocher à un vieux panier à pommes. Tom l'a repêchée, avec son panier, et il l'a rapportée chez nous. Tout le monde aime Moïse, même si elle est nulle pour attraper les souris. Les gens trouvent que c'est un nom bizarre, Moïse, pour une femelle. Mais le nom lui va bien, car elle a été sauvée des eaux dans un panier, comme le bébé Moïse dans la Bible.

Mais revenons au reste de la famille. J'ai deux grands frères, David et Thomas. J'en avais un troisième, Douglas Alastair, mais il est mort avant ma naissance. Il a survécu seulement trois jours. C'était le premier enfant de papa et maman et, même si on n'en parle presque jamais, maman dépose toujours un petit bouquet de fleurs sur sa pierre tombale quand nous allons au cimetière le dimanche. Sur la pierre, il y a seulement son nom et les mots « Rappelé à Dieu ».

Je me demande à quoi ressemble le Paradis et ce qui arrive aux petits bébés qui y sont. Il y en a beaucoup d'autres, enterrés comme lui au cimetière, et quand je vois leurs petites pierres tombales, j'ai toujours envie de pleurer. Ils sont morts avant même de savoir qui ils étaient. Je ne comprends pas pourquoi Dieu laisse arriver un pareil malheur, mais papa dit que même Dieu est obligé d'obéir aux lois de la nature.

David a seize ans et il va à la grande école. Il paraît qu'il est très intelligent, car il aime jouer aux échecs et qu'il gagne des prix de mathématiques. Malheureusement, quelqu'un l'a félicité pour son intelligence, et ça lui a monté à la tête. Il se croit plus fin que tout le reste du monde. Il nous traite, Tom et moi, comme si nous étions des bébés.

Pour mon anniversaire, David m'a offert des rubans à carreaux écossais, mais j'avais surpris maman en train de lui dire qu'elle les avait achetés pour qu'il me les offre. Et il lui avait répondu que je serais surprise de recevoir un cadeau de sa part. Il avait bien raison!

« Tu n'as qu'à signer la carte de souhaits, mon garçon, lui avait répondu maman, et je m'occupe du reste. »

Il avait obéi mais, en partant, il avait claqué la porte. J'ai reçu les rubans et la carte au déjeuner, ce matin, et je l'ai remercié d'un beau grand sourire tout mielleux. Il s'est contenté de hocher la tête, sans même me regarder dans les yeux.

Tom m'a dit que David s'était fait des amis chez les fils de riches et que ça le rendait snob. Maman s'en inquiète, mais papa dit que nous devons le laisser faire et qu'avec le temps, il en reviendra. C'est comme quand il dit, à propos de certaines personnes : « Laissons-leur un peu de corde et elles se pendront elles-mêmes ». Je ne suis pas certaine de bien comprendre ce qu'il veut dire.

Je ne devrais peut-être pas parler de David de cette façon, mais j'ai promis de ne dire que la vérité dans mon journal. La vérité, c'est que j'aime David, mais ce n'est pas mon ami. Avant, je l'adorais. Je me souviens quand il me montrait à jouer à roche-papier-ciseaux. Mais lorsqu'il a découvert qu'il était très intelligent, il n'a plus voulu gaspiller son précieux temps avec sa petite sœur.

Thomas – je l'appelle toujours Tom, mais papa et maman disent Thomas – a presque quatorze ans et il vient tout juste de finir sa première année à la grande école. Lui et moi, nous nous entendons généralement bien et, si j'ai des problèmes, il se range toujours de mon côté. Il m'a donné un livre pour mon anniversaire. Il l'a choisi lui-même et il l'a acheté avec ses propres économies. C'est un livre usagé, qu'il a trouvé au kiosque devant la librairie. Ça a l'air très bon. J'ai commencé à le lire tout de suite après le déjeuner, et c'est terriblement triste. Tom sait que j'aime les histoires tristes. C'est l'histoire d'un petit ramoneur qui s'appelle Tom lui aussi et qui travaille pour un homme très cruel. Difficile d'imaginer qu'on puisse être si méchant envers un petit garçon. Je n'ai eu le temps de lire que quelques pages et déjà, j'ai versé un torrent de larmes.

Ce matin, avant le déjeuner, maman m'a offert ce journal. C'est la première fois de ma vie que je reçois un gros cahier avec un ruban pour marquer la page. Elle m'a dit que je dois écrire dedans chaque jour, si possible, et que, si je saute une journée ou deux, je dois tout simplement continuer, sans me sentir obligée de raconter tout ce qui s'est passé depuis la dernière fois que j'ai écrit dedans.

« Bien des gens abandonnent l'écriture de leur journal intime parce qu'ils ont sauté quelques journées, m'a-t-elle dit. Alors promets-moi de toujours le continuer. »

Je le lui ai promis.

« Et pas de broderies, Victoria, a-t-elle ajouté. Tu dois écrire les choses telles qu'elles sont arrivées, jour après jour. Quand tu seras grande, tu seras bien contente de retrouver ce qui s'est vraiment passé au cours de la douzième année de ta vie. »

Je voulais lui demander pourquoi elle fait tant de broderies elle-même, si elle déteste tellement ça. Nos taies d'oreiller sont couvertes de ses broderies de roses, de pensées et de violettes. Mais je n'ai rien dit.

J'adore inventer des histoires. Quand ma grand-tante Lib vient nous visiter et qu'elle me surprend en train d'en raconter une, elle dit que ce sont des mensonges. Maman dit que ce sont des « faussetés », mais je ne comprends pas pourquoi. Jo March aime beaucoup inventer des histoires, et maman adore Jo. Mais chaque fois, elle me répète cette satanée histoire du petit garçon qui criait toujours au loup. Je déteste ce petit garçon. Une histoire inventée, ce n'est pas un mensonge.

Comme je veux devenir écrivain, je vais écrire beaucoup de dialogues dans mon journal. Je déteste lire un livre où, pendant des pages, personne ne parle. Et j'aime écouter les gens parler. Un bon écrivain doit savoir rendre par écrit ce que les gens disent à haute voix, sinon le livre n'est pas bon.

Pour mon anniversaire, papa m'a offert une petite écritoire

que je peux poser sur mes genoux si je veux écrire mon journal assise dans mon lit. C'est un coffret en bois avec un couvercle qui se rabat et, dedans, on peut mettre des plumes et des buvards. Dans un des coins, il y a un joli petit encrier fiché dans un trou. Papa m'a dit que la grande écrivaine Jane Austen en avait probablement une comme celle-là.

Mais je dois maintenant m'arrêter. J'ai mal à la main et je fais des pâtés avec ma plume. À bientôt, cher journal.

Encore mon anniversaire, après le souper

Me revoilà, cher journal. Moïse est assise à côté de moi, en train de me surveiller. Elle veut jouer avec ma plume.

Nous avons eu du gâteau au caramel, en l'honneur de mon anniversaire. J'adore le goût de ce gâteau. Mais tout le reste de la famille préfère le gâteau au chocolat.

Peggy est venue s'asseoir avec nous pour le dessert. C'est elle qui a trouvé la bague dans son morceau et, quand elle l'a vue, elle a éclaté en sanglots. Pourquoi donc? Elle n'est pas en panne de prétendants, il me semble. Elle a le béguin pour Joseph Connor, qui est apprenti à la forge. Si elle était tombée sur le dé à coudre, comme moi, elle aurait eu une bonne raison de pleurer. Quand on a le dé, ça veut dire qu'on va rester vieille fille et qu'on va passer sa vie à coudre des centaines de boutons. Ou quelque chose comme ça.

Tout le monde a éclaté de rire en voyant le dé. Je parie que c'est à cause de mes morceaux de couture, qui sont toujours tout de travers. Et tachés de gouttes de sang aussi. Je suis encore plus maladroite que la belle-mère de Blanche-Neige.

Quand j'étais bébé, maman a fait une petite broderie à accrocher au mur de ma chambre. Dessus, c'est écrit :

Sois gentille, petite fille, et laisse l'intelligence aux autres.
Sois généreuse dans tes actes, et pas seulement dans tes rêves.

Je ne l'ai pas dit à maman, mais je préférerais être intelligente, plutôt que douce et fine et gentille. On m'a raconté mille fois combien maman était heureuse quand elle a enfin eu une petite fille. Elle s'attendait probablement à ce que j'aime les froufrous et les rubans, et que je sois coquette et soignée. Elle a dû être bien déçue!

« Si j'écris toute la vérité dans mon journal, est-ce que tu vas le lire? » ai-je demandé à maman. Si elle avait dit « oui », mon journal aurait été très ennuyant à lire. Mais, en riant, elle a dit « non ».

« Un journal est quelque chose de trop personnel, Victoria. Mais je te demande de faire un effort pour ne dire que la vérité. Tu rêves de devenir écrivain. Eh bien, un écrivain doit savoir rendre la vérité intéressante, tu sais. »

Je ne savais pas qu'elle avait deviné que je rêve de devenir écrivain.

Elle m'appelle. Elle dit que j'ai oublié de mettre la table pour le déjeuner. Je n'ai PAS oublié de le faire. Je pensais que Peggy le ferait, puisque c'est mon anniversaire. Je reviens tout de suite, cher journal.

Dans mon lit

Le docteur Graham, qui soigne maman, est venu chez nous aujourd'hui. (Les docteurs ne sont pas censés soigner les membres de leur famille. Papa s'occupe de nos petits bobos, comme les coupures et les égratignures, mais c'est le docteur Graham qui prend soin de nous quand nous sommes vraiment malades.) J'ai demandé à maman si elle était malade car, ces derniers temps, le docteur vient chez nous beaucoup plus souvent que d'habitude. Elle m'a répondu qu'elle allait bien, qu'elle était juste un peu fatiguée. Je ne comprends pas ce qui peut tant la fatiguer. Mais j'ai entendu le docteur G. dire à papa qu'elle avait besoin d'aide pour tenir la maison.

Papa a parlé de trouver quelqu'un qui viendrait le jour pour aider aux gros travaux. Ça m'a surprise, car Peggy est bien travaillante, comme dit maman. Elle peut donc s'occuper du gros ouvrage.

Puis papa a dit que maman serait fâchée quand elle apprendrait ce qui arrive à Peggy.

Qu'est-ce qui arrive à Peggy? Je ne pouvais évidemment pas poser la question, alors je suis restée bien tranquille, les oreilles toutes grandes ouvertes.

« Je me rends à Peterborough demain, pour une fête de famille, a dit le docteur Graham. Je pourrais passer à Hazelbrae et demander qu'on t'envoie une orpheline. Elle habiterait chez vous. Tu n'as qu'à écrire un mot, dans lequel tu expliques que je suis ton mandataire. Il ne devrait pas y avoir de problèmes. Ils me connaissent bien. »

Que voulait-il dire au sujet de Peggy? Je ne pouvais pas poser la question, car j'écoutais à la porte. Si j'avais parlé, je me serais fait servir la même vieille leçon de morale, comme chaque fois que j'écoute aux portes. Je suis sûre que Louisa May Alcott écoutait aux portes, elle aussi.

Je me demande à quoi ressemblent ces orphelines. J'ai toujours voulu avoir une sœur, mais je suppose qu'elles sont très différentes de nous. Les orphelinats anglais envoient les enfants ici pour les sortir de l'effroyable misère des taudis de Londres. À mon avis, ils doivent ressembler aux petits voleurs du livre *Oliver Twist*. Ou à la petite fille aux allumettes.

Si j'écris autant tous les jours, je vais remplir ce cahier avant Noël. Heureusement que maman m'en a trouvé un très épais. Même si je n'écris que quelques mots, mon écriture est tellement grande et si peu soignée. Il n'y a qu'à demander à monsieur Grigson. Quand il regarde dans mon cahier d'écriture, par-dessus mon épaule, il secoue toujours la tête de découragement.

Demain, je vais recevoir un autre présent de la part de maman et papa. Ils ont l'air tout excités, mais ils ne veulent pas me donner un seul indice pour m'aider à deviner. Tom dit que c'est un catéchisme. Il est comme papa, lui, quand il se met à me taquiner.

Juste avant que je monte me coucher, papa m'a demandé ce que je pensais du monde dans lequel je vis. « Maintenant que tu as onze ans bien sonnés et que tu entames ta douzième année d'existence, tu es assez grande pour réfléchir à ce genre de choses », m'a-t-il dit.

Je crois qu'il me taquinait, mais je lui ai quand même dit ce que je pensais en toute sincérité. « C'est un monde merveilleux, ai-je répondu. Et cette année de mes onze ans est une année très spéciale, une année de réjouissance. »

« Promets-moi de toujours faire de ton mieux pour ne pas perdre ta joie, Victoria, quels que soient les malheurs que ce bon vieux monde nous réserve », m'a-t-il dit, l'air sérieux.

« Je te le promets », ai-je répondu.

De quels malheurs voulait-il donc parler, cher journal? Tant pis. J'ai promis. Et là, j'ai une crampe à la main, à force de trop écrire.

Mardi 25 mai, après le souper

Mon cadeau mystère était là, ce matin, et à cause de lui, je suis arrivée en retard à l'école. Maman m'a écrit un mot d'excuses et, avec Tom, j'ai couru d'une traite jusqu'à l'école. J'étais tellement excitée que, pendant toute la journée, j'ai été incapable de me concentrer sur mes travaux scolaires.

Mon oncle Peter l'a apporté. Sa femme, ma tante Gwen, a une chienne carlin qui s'appelle Coquine. Le chienne a eu trois chiots, et papa et maman en ont pris un pour moi!

« À cause de la reine Victoria qui en a un elle aussi », m'a dit papa.

Il est magnifique! Ils l'ont appelé Prince-Rodolphe, mais ça sonne drôle. Je vais réfléchir pour lui trouver un nom qui lui va mieux. Il est encore tout petit et il fait pipi sur le plancher. Il a le poil blond, avec la queue en boucle et un masque noir sur la figure. Pour le moment, je peux le tenir dans le creux de mes mains, mais quand il sera grand, il va peser quatorze livres. Et il a une adorable petite langue toute rose. Il a la face toute ridée et ses oreilles sont douces comme du velours.

Je le garde toujours avec moi, sauf quand il fait dodo, comme maintenant. Alors j'ai tout mon temps pour raconter dans mon journal LA GROSSE NOUVELLE du jour, car les petits chiens dorment beaucoup.

À midi, maman nous a annoncé que Peggy nous avait quittés. Elle l'en avait avertie hier soir, quand j'ai été couchée, et ce matin, elle a fait ses bagages et elle est partie sans dire au revoir.

Quand je suis revenue de l'école, ça faisait tout drôle de ne pas la trouver à la maison. Maman a dit qu'elle allait se marier. Elle a seulement quinze ans! Au déjeuner, elle pleurait et elle n'avait pas l'air de se rendre compte que j'avais mon nouveau petit chien. Pas étonnant!

Je suis entrée dans sa chambre, ce soir. C'est tout vide et sans vie. J'ai demandé si je pourrais aller à son mariage, mais maman m'a dit que non. Alors je lui ai demandé pourquoi, mais elle m'a répondu qu'elle ne voulait plus en parler. Je suppose qu'elle trouve que Peggy est trop jeune.

Je voudrais bien savoir pourquoi Peggy pleurait à l'idée de se marier, elle qui est toujours si gaie. Je ne me marierai jamais avec quelqu'un qui me fait pleurer. Peut-être qu'elle était triste de nous quitter, mais ça me surprendrait. Elle n'a pas été chez nous assez longtemps. Elle venait d'avoir quatorze ans quand elle est arrivée.

« Ne parlons plus de Peggy, a dit papa au souper, quand j'ai voulu le questionner à ce sujet. J'ai une nouvelle à vous annoncer. J'ai confié une lettre à Douglas Graham, qui se rend à Hazelbrae – vous savez, la maison des œuvres du docteur Barnardo à Peterborough – et j'ai demandé qu'on m'envoie une orpheline. En attendant, nous devrons trouver quelqu'un qui viendra le jour pour les gros travaux, et le problème sera réglé. »

Maman a dit que ce n'était pas nécessaire, mais, au ton de

sa voix, elle n'avait pas l'air très convaincue. Elle semble soucieuse et fatiguée.

Tu penses peut-être, cher journal, que je ne me rappelle plus exactement ce qu'ils ont dit, mais tu te trompes. Oh, j'ai probablement manqué un petit mot ou une petite phrase ici et là, mais j'étais très attentive à tout ce qui se disait. Sauf que papa a demandé à maman de ne pas parler de Peggy. Elle est partie maintenant, alors je vais cesser de me poser des questions à son sujet et je vais plutôt m'occuper de cette orpheline.

Pour le temps du repas, on a enfermé mon petit chien dans la cuisine. Je pouvais l'entendre pleurer et, quand le sujet de discussion est revenu à des banalités, j'avais du mal à écouter. Mais il s'est vite endormi.

« Ce petit chien n'est pas bien beau », a dit maman.

« Gwen dit que plus ils sont laids, plus ils sont gentils, lui a rappelé papa en riant. Alors, Prince-Rodolphe est sûrement le plus gentil carlin de toute la région, n'est-ce pas, Vic? »

Je l'ai regardé d'un air furieux et je n'ai rien répondu.

Mais maman m'appelle pour que je vienne mettre la table pour le déjeuner de demain. J'espère que la nouvelle bonne va arriver bien vite. Quand Billy Grant vient le matin pour sa tasse de thé, il s'assoit et il attend que quelqu'un la lui apporte. Billy Grant, c'est le vieux monsieur qui s'occupe de tous les travaux à l'extérieur, comme tondre le gazon, réparer les volets, nettoyer les gouttières et prendre soin de Bess, la jument de papa. Et aussi, il cire le cabriolet et le véhicule familial. C'est comme ça que nous appelons notre grande voiture. Il habite tout seul dans une petite maison sur la route de London et il ne parle presque jamais. Maintenant, quand il vient à la maison, je dois aller lui chercher sa tasse de thé. Il est vieux, alors je sais bien qu'on doit s'occuper de lui. Mais je suis sûre que, s'il avait vingt ans, il s'assoirait et il attendrait qu'on vienne, de la même façon.

Dans mon lit

Quand ils m'ont envoyée me coucher, j'ai dû laisser mon petit chien. Il est dans un grand panier fermé par un couvercle, au fond de la cuisine. Maman dit que ce n'est pas propre de dormir avec un chien dans son lit et que, dans son panier, il va dormir comme une bûche. Et papa est du même avis.

« S'il dormait dans ton lit, Victoria, tu pourrais nager dedans, le lendemain matin. »

Ils ne comprennent rien. Chaque fois que j'entrouvre la porte de ma chambre, je les entends rire en jouant avec MON chien. Je vais essayer de les écouter jusqu'à ce qu'ils aillent se coucher. Et quand je n'entendrai plus un bruit, je vais descendre le voir pour m'assurer que tout va bien.

Et en attendant de pouvoir descendre en cachette à la cuisine, je vais en profiter pour me décrire car, en me relisant, je me suis rendu compte que j'avais oublié de le faire, hier.

J'ai deux tresses de cheveux châtains qui m'encadrent le visage, les yeux noisette avec des petits points verts, quelques taches de rousseur sur la peau, même en hiver, et une grande bouche aux lèvres fines. Et mes mains sont magnifiques. C'est grand-maman Sinclair qui l'a dit, quand elle était encore vivante. Elle a dit que j'avais des mains de musicienne, aux doigts longs et fins. Mais plus personne ne semble s'en apercevoir, maintenant qu'elle n'est plus là.

Ma grand-tante Lib, que nous appelons tous « Tante Lib »,
dit que j'ai une bouche bien trop grande pour un visage de
petite fille, mais elle dit toujours des méchancetés à propos de
tout le monde. Elle dit même que maman nous gâte trop et
qu'elle ne sait pas se faire obéir des domestiques. Tante Lib est
la tante de maman et la grande sœur de grand-maman Sinclair.
C'est étrange : grand-maman était si gentille et sa sœur est
exactement le contraire.

J'ai oublié de dire aussi que j'ai deux fossettes. Tout le
monde me taquine à ce sujet, mais je les aime bien, car maman
a les mêmes, exactement au même endroit sur les joues.

Aux petites heures du matin

J'ai réussi!

J'ai bien failli m'endormir, mais j'ai réussi à rester éveillée.
Pas de problèmes à descendre sur la pointe des pieds par
l'escalier de service sans que personne m'entende. Mon petit
chouchou pleurait à fendre l'âme. Je l'ai pris dans mes bras et,
ensuite, j'étais incapable de le laisser encore tout seul, même si
son panier est très beau. Maintenant, il est dans mon lit,
couché sur deux épaisseurs de serviettes de bain. Je me
demande si maman m'a entendue. Mais papa, sûrement pas. Il
ronflait comme une baleine.

Je pense que ce n'est pas tout à fait les petites heures du
matin, car je viens d'entendre l'horloge sonner minuit. Les
petites heures du matin, c'est une heure, deux heures et peut-
être encore trois heures. Mais je trouvais que ça sonnait bien.

J'ai seulement eu à amener le petit chien dehors, juste avant le lever du soleil. Il n'a pas fait pipi dans mon lit. Il a passé toute la nuit roulé en boule, tout contre moi. J'ai pensé que je pourrais l'appeler Bouboule, mais je trouve que ça fait un peu stupide pour un chien mâle.

Maman n'est pas sûre de vouloir prendre une orpheline. C'est ce qu'elle a dit au déjeuner.

Elle dit avoir entendu que souvent, très jeunes, ces enfants-là avaient vagabondé de par les rues, abandonnés par leurs parents. « Et que ferons-nous si la fille qu'ils nous envoient est un petit diable habitué à voler dès son plus jeune âge? a-t-elle demandé. Nous devons protéger nos propres enfants. »

« Lilias, il s'agit d'une fille. Quelques-uns parmi les garçons sont probablement de la graine de bandit. Mais ceux que j'ai pu rencontrer étaient tout simplement de pauvres petits enfants qui n'avaient pas eu de chance. Je suis sûr que les filles ont de bonnes manières. Comme notre Victoria, si bien élevée jusqu'au bout des doigts. »

J'étais toute contente. Tom a souri, mais David n'a même pas réagi. Maintenant qu'il est en quatrième année de grande école, il a honte de nous.

« Pourquoi n'aurions-nous pas une vraie bonne? a-t-il dit. Le père de Nathan dit que les orphelins sont des imbéciles, bourrés de maladies, et qu'on ne devrait pas les laisser côtoyer les jeunes nés au Canada. »

Puis, d'un air hautain et d'un ton pompeux, il a dit à papa qu'il devait faire attention à son image. Alors papa s'est tourné vers lui.

« Je connais bien le père de Nathan, lui a-t-il répondu froidement. Il a très souvent des opinions avec lesquelles je suis en profond désaccord. Je t'en prie, David, ne prends pas tout ce qu'il dit pour argent comptant et tâche de réfléchir un peu par toi-même. Et aussi, souviens-toi de ce que Notre Seigneur Jésus nous demande de faire : donner à manger à ceux qui ont faim, vêtir ceux qui en ont besoin et rendre visite aux prisonniers. Il ne nous a jamais demandé de soigner notre image. »

J'ai peut-être manqué quelques mots, mais, en gros, c'est ce qu'il a dit. J'avais d'ailleurs l'impression que ses mots, au fur et à mesure que je les entendais, se gravaient dans ma tête. David a rougi et il s'est mis à fixer le calendrier qui est accroché au mur. Papa lui a fait la morale, mais je ne crois pas qu'il a changé d'idée au sujet de l'orpheline.

Maman et papa ont continué de discuter, bien sûr, mais maman a fini par céder.

« Quand j'irai chercher cette orpheline, je devrais peut-être emmener Victoria avec moi, a dit papa aussitôt. Elle saura tout de suite si c'est quelqu'un qui peut te convenir, et la fille sera moins inquiète que si elle partait seule avec un pur étranger. »

Maman a répondu que c'était une bonne idée.

J'espère de tout mon cœur que cette fille sera plus gentille que Peggy et qu'elle ne se moquera pas de mes taches de rousseur. Et puis Peggy me tannait avec ses rengaines qu'elle nous fredonnait à cœur de jour. Tom disait toujours qu'elle chantait comme une vieille vache à l'agonie. Elle faisait trembloter sa voix, pour faire comme les grandes chanteuses, croyait-elle.

Moïse va regretter les restes de repas que Peggy lui donnait toujours. Oh, elle va me manquer aussi! On s'habitue aux gens qui partagent notre vie. Je me demande si nous allons lui manquer.

Ce soir, au dessert, il y avait du pain d'épices avec de la crème fouettée et de la compote de pommes encore chaude. Miam! Tom en a redemandé trois fois. Il en voulait encore, mais maman a dit qu'il exagérait et que c'était assez.

« Mais, maman, je suis en train de grandir », a-t-il répondu d'un ton suppliant.

« C'est bien ce qui m'inquiète », a dit maman en rangeant le gâteau. Quand elle en fait, elle en garde toujours un peu à donner à Billy Grant, le lendemain. Il dit qu'il a exactement le même goût que celui que sa mère faisait quand il était petit. Difficile d'imaginer Billy Grant en petit garçon. Il a la figure toute ridée comme un vieux pruneau sec.

Jeudi 27 mai, dans mon lit

J'ai failli oublier d'écrire dans ce cahier, ce soir. Et je ne pourrai pas écrire bien longtemps, car maman vient de me demander d'éteindre ma bougie.

C'est fait, mais, comme il faisait encore un peu clair dehors, j'ai pu continuer ma lecture, assise près de la fenêtre. Je suis rendue à la moitié de mon livre, et j'étais dans un passage absolument captivant. Il aurait fallu m'arracher un bras pour que je cesse de lire. Mais là, il fait presque noir, et j'ai dû m'arrêter quand même, pour pouvoir écrire ces quelques lignes avant que ce soit vraiment la pleine nuit.

Mon petit chien vient de faire un drôle de grognement. Peut-être que Ronchon lui irait bien comme nom. Ronchon est toujours en train d'essayer de mâchouiller la manche de ma robe de nuit, là où il y a un volant avec un ruban qui passe dans une ganse. C'est très espiègle, un petit chien!

Il reconnaît son nom! Je lui ai dit : « Allô, Ronchon », et il a relevé la tête en me regardant droit dans les yeux. Gentil Ronchon!

Maman m'a permis de monter son panier ici, dans ma chambre, mais elle a aussi recouvert mon matelas d'un drap de caoutchouc.

« Maintenant que je sais que tu es capable de te promener toute seule dans la maison, en pleine nuit, pour aller t'occuper de lui, je ne pourrai jamais plus dormir tranquille, a-t-elle dit en soupirant. Nous aurions dû le laisser dormir dans ta chambre dès le début. »

Elle a aussi ajouté que, s'il faisait un dégât, je devais le nettoyer.

« Oui, madame », lui ai-je répondu d'un ton soumis en lui faisant une petite révérence.

Ça l'a fait sourire.

Je déteste le drap de caoutchouc. C'est dur et ça craque chaque fois que je bouge un peu. Ça n'a pas l'air de déranger Ronchon, mais Moïse a sauté sur mon lit une seule fois et, en entendant le bruit que ça faisait et en sentant quelque chose de dur sous ses pattes, elle est aussitôt redescendue et elle est sortie de ma chambre la queue toute droite et l'air totalement dégoûtée. Quand j'aurai des enfants, jamais je ne mettrai de draps de caoutchouc dans leur lit.

Et aussi, je vais les laisser lire dans leur lit jusqu'à ce qu'ils s'endorment.

Ronchon me distrait souvent de ma lecture, mais je ne lui en veux pas.

Il faut que je me choisisse un texte à réciter pour la séance de fin d'année à l'école. J'ai pensé à une pièce qui raconte l'histoire d'un petit garçon qui est mort, et tous ses jouets sont tristes et attendent son retour. Mais papa a dit que jamais sa fille n'irait réciter en public une niaiserie pareille. Moi, jusque-là, je trouvais ça magnifique et j'ai failli pleurer. Mais maintenant, je trouve cette histoire un peu idiote. Je vais peut-être me décider pour une autre pièce intitulée *La charge de la brigade légère*. Ça se récite bien, avec des tas de gestes.

Vendredi 28 mai, dans mon lit

Malheur de malheur, de malheur! Maman nous a annoncé au souper que Tante Lib et Cousine Anna viendraient nous visiter! Elles sont DÉTESTABLES! Maman a habité pendant trois ans chez sa tante Lib, les jours de semaine, quand elle allait à la grande école à Guelph. La ferme de ses parents était trop loin de la ville pour qu'elle puisse se rendre chaque jour à l'école. Et maintenant, maman pense qu'elle lui doit une reconnaissance éternelle.

C'est un peu normal. Mais quand Tante Lib est chez nous, elle est vraiment pénible, et pas seulement pour maman, mais pour nous tous aussi. On dirait même que, dans ce temps-là, papa est plus souvent appelé à l'extérieur pour aller voir des malades et qu'il a aussi plus de rendez-vous à son bureau, où il reste enfermé à longueur de soirée. David et Tom montent dans leur chambre pour faire leurs devoirs, au lieu de s'installer dans la cuisine comme d'habitude.

« Dis-lui que nous ne pouvons pas la recevoir, a dit David. Pas besoin de mentir. Tu as juste à dire que… que nous déménageons à Winnipeg. Je ne peux plus amener personne à la maison quand elles sont là. »

Je trouvais que c'était une bonne idée. Pas pour Winnipeg, mais pour dire qu'elles ne peuvent pas venir nous rendre visite maintenant. Mais maman l'a regardé, l'air totalement découragée.

« Elles sont déjà en route, a dit papa d'un ton sec. N'est-ce pas, Lilias, ma chérie? Exactement comme elles l'ont fait la dernière fois, t'en souviens-tu? »

« Oui, oui, a répondu maman. Mais quand même, David ne devrait pas parler d'elles de cette façon. Elles ont leurs problèmes, mais ce n'est pas leur faute. »

Puis elle m'a dit que je devrais faire attention pour que Prince-Rodolphe ne se retrouve pas dans leurs jambes, sinon Tante Lib risquerait de buter contre lui et de se casser une jambe.

« Mon chien ne s'appelle pas Prince-Rodolphe, ai-je répondu. Ce nom ne lui allait pas du tout. J'ai décidé de l'appeler Ronchon, parce qu'il grogne d'une drôle de façon, en soufflant par le nez. »

« C'est un nom parfait pour lui », a dit maman.

« C'est un nom parfait pour Tante Lib, a dit Tom en riant. Elle est toujours en train de ronchonner à propos de tout et de rien. »

À moi, on m'aurait servi toute une leçon de morale, mais

parce que c'était Tom, ils ont éclaté de rire. Je ne comprends pas pourquoi on laisse faire aux garçons des choses qu'on interdit aux filles.

Soudain, j'ai vu que maman avait l'air épuisée. Plus que jamais auparavant. Ces derniers temps, elle a les yeux cernés et elle soupire à tout bout de champ. Pourtant, elle prend un fortifiant. Au début, c'était un extrait de bardane. Son amie, madame Spence, lui avait dit que ça l'avait vraiment remontée, elle.

Papa a dit que c'étaient des bêtises. Et il lui a fait prendre un extrait de fer avec de l'huile de foie de morue. Elle fait d'horribles grimaces chaque fois qu'elle en prend.

Papa a suggéré qu'on mette à notre porte l'enseigne indiquant qu'il y a un cas de variole chez nous, puisque Cousine Anna est totalement hypocondriaque. Je lui ai demandé ce que ça voulait dire et comment ça s'écrivait, mais il m'a dit d'aller regarder moi-même dans le dictionnaire. Maman l'a regardé en secouant la tête, mais elle avait les yeux pétillants de malice. (Pétillant, ça c'est un beau mot à retenir. Louisa May Alcott en utilise tout plein dans ce genre-là.)

« Les pauvres, a alors dit maman. Personne n'en veut, et je doute qu'elles roulent sur l'or. »

« Je ne pense pas que leur situation soit aussi noire que tu le penses », a répondu papa.

Et il a aussitôt changé de sujet, pour demander si elle avait trouvé quelqu'un pour remplacer Peggy.

C'est réglé! Madame Cameron, notre voisine, connaît une femme qui a perdu son mari et qui doit maintenant élever seule son fils qui est infirme. Elle s'appelle madame Dougal et elle viendra rencontrer maman demain.

« Lui as-tu parlé de l'heureux événement à venir…? » lui a demandé papa à voix basse.

Je parie qu'il pense que je n'ai rien entendu.

« Oui. Je lui ai tout expliqué », a dit maman.

J'allais leur demander de quoi il s'agissait, mais j'ai été distraite par l'horrible souvenir de la visite prochaine de Tante Lib. Quelle horreur! La dernière fois qu'elles sont venues, elle et Cousine Anna, nous en avons eu pour six semaines. Maman dit que Tante Lib a bon cœur. D'après papa, quand maman dit d'une personne qu'elle a bon cœur, il vaut mieux se méfier. Ça veut généralement dire qu'il n'y a rien d'autre de bon chez elle. Je pense qu'il a parfaitement raison.

Au souper, nous avons eu de la mousse au citron avec de la sauce anglaise. J'aime bien ce dessert merveilleusement moelleux. Mais J'ADORE la sauce anglaise de maman. Elle la réussit tellement bien, toute douce et onctueuse, que je serais capable de vider le saucier d'une seule traite.

Billy Grant aussi aime la mousse au citron. Mais quand Tante Lib est là, il refuse d'entrer dans la cuisine pour prendre sa tasse de thé. On doit la lui apporter dehors.

« Ce vieil épouvantail est une vraie créature du diable », dit-il en marmonnant, avant de cracher par terre. Papa lui a déjà demandé de ne pas cracher, alors il le fait seulement quand papa n'est pas là.

Plus tard

Je venais tout juste de ranger mon journal et de me pelotonner dans mon lit avec Ronchon quand maman est arrivée pour me border dans mon lit. Je voulais qu'elle reste un petit peu avec moi, alors je lui ai posé une question qui me chicote depuis longtemps.

« Pourquoi Cousine Anna est-elle si différente de Tante Lib? Elles ne se ressemblent pas pour deux sous. Tante Lib est autoritaire et mesquine, tandis que Cousine Anna est toujours en train de geindre. Et elle ne termine jamais ses phrases, comme si c'était trop fatigant de les finir. »

Maman s'est alors assise pesamment au bord de mon lit, sans répondre à ma question.

« Maman? » ai-je dit.

« Je te parlerai d'elles, un jour, m'a-t-elle répondu. Pas tout de suite, car moi aussi, je dois aller me coucher. Fais de beaux rêves, Joséphine Victoria Cope. »

Elle a eu du mal à se relever de mon lit, car il est bas. Je crois qu'elle a un peu grossi, dernièrement. Elle m'a envoyé un baiser en soufflant dans sa main, puis elle a traversé le couloir et elle a passé la porte qui donne sur l'avant de la maison. Ensuite, je l'ai entendue descendre lentement l'escalier. Elle avait l'habitude de le dévaler, avant d'être toujours si fatiguée.

Je me demande ce qu'elle n'a PAS voulu me raconter tout de suite.

Dans une minute, je vais dire mes prières. Je ne m'agenouille pas pour les faire, quand maman n'est pas là. Le bon Dieu m'entend aussi bien que si j'étais à genoux. Je ménage mes genoux pour toutes les autres fois où je n'ai pas le choix.

Ronchon vient juste de sortir de dessous l'édredon pour me donner un petit coup de langue sur le nez. Pour qu'il se calme, je vais devoir me fermer les yeux et faire semblant de dormir. Alors il va soupirer, comprenant que je ne veux pas jouer, et il va se coucher pour la nuit. Il est tellement mignon!

Samedi 29 mai, le matin

Aujourd'hui, l'orpheline va arriver chez nous. Papa a reçu une lettre.

Quand je suis descendue pour le déjeuner, il était déjà là, en train de lire le journal d'hier. Soudain, il a éclaté de rire.

« Qu'y a-t-il, pour l'amour du bon Dieu? » a demandé maman en se tenant le cœur à deux mains.

« Écoute-moi ça, a-t-il répondu. Ta vieille tante n'en rate jamais une. »

Et il s'est mis à lire à voix haute.

> *Madame Hubert Fair, accompagnée de sa fille Anna, ira passer les prochaines semaines chez sa nièce, madame Alastair Cope. Le docteur Cope est un médecin bien connu de Guelph. Pendant ses quinze dernières années d'existence, le révérend Hubert Fair a été pasteur de l'église presbytérienne de Knox, à Hamilton.*

Maman a ri jusqu'à en avoir un poing de côté. Ça ne lui arrive vraiment pas très souvent.

Moi, je ne riais pas du tout. Elles vont rester ici pendant DES SEMAINES!

À quoi donc va ressembler notre orpheline?

Encore le samedi, dans mon lit

Il s'est passé tant de choses aujourd'hui que je n'arriverai jamais à tout raconter ici en une seule fois. La main me ferait trop mal. Je vais donc commencer par le début.

Nous sommes allés chercher notre orpheline. Elle est toute petite et très timide. Elle s'appelle Mary Anna Wilson et elle a douze ans. Elle est moins grande que moi, et toute menue. On dirait qu'elle n'a pas plus de dix ans. Ce n'est pas elle qui va se moquer de moi en disant que je suis trop petite.

Je vais raconter tout ça comme si c'était une histoire inventée, même si tout est rigoureusement vrai. Si je lisais ça dans un livre, ça me passionnerait.

D'abord, nous sommes partis avec un peu de retard. Une patiente est arrivée à la dernière minute pour avoir un flacon de médicament. Et elle est restée à parler et parler. Puis nous venions à peine de nous mettre enfin en route quand Bess a perdu un de ses fers, et il a fallu s'arrêter chez le maréchal-ferrant. Je ne voulais pas entrer pour voir, car j'avais mis ma belle robe. Peggy avait l'habitude d'entrer dans la forge quand nous allions nous promener, et elle en ressortait toujours en riant, les joues comme en feu. Son amoureux, Joseph – son mari maintenant, je crois – est apprenti à la forge.

Quand nous sommes arrivés à la gare, il n'y avait que quatre enfants sur le quai. Et seulement une fille. Elle n'était pas plus grande que moi. Une dame était assise à côté d'elle, sur le banc. Chacun des quatre enfants portait une étiquette avec son nom écrit dessus et se tenait à côté d'un coffre avec son nom écrit dessus, aussi. C'étaient de gros coffres en bois avec des coins en laiton. Ils n'avaient rien d'autre avec eux, seulement un coffre et les vêtements qu'ils portaient ce jour-là.

La dame n'avait aucun bagage, alors je n'étais pas sûre si elle était vraiment avec eux. Papa a dû penser comme moi.

« Je suis le docteur Alastair Cope, a-t-il dit tout en restant assis dans la voiture. On m'a dit de venir pour ce train. Accompagnez-vous ces enfants, madame? »

« Nous sommes arrivés il y a presque une heure, lui a répondu la dame d'un ton glacial, en se levant et en regardant papa d'un air contrarié. Le train avait un peu d'avance, je dois l'admettre, mais passons. Les deux autres filles que j'accompagnais sont déjà parties, elles. »

Elle a alors plongé la main dans son grand sac et elle en a ressorti des documents.

« Oui… Le docteur Cope. J'ai votre lettre ici. Vous habitez au 264, rue Woolwich, et vous avez demandé une orpheline pour aider votre femme à tenir la maison. »

Je ne comprenais pas pourquoi elle tenait à répéter à papa ce qu'il lui avait lui-même écrit, mais elle a continué, sans lui laisser la moindre chance de prendre la parole.

« J'ai une orpheline de chez le docteur Barnardo pour vous. Les garçons se trouvaient par hasard dans le même train. D'habitude, les garçons ne sont pas accompagnés jusqu'à leur destination finale. Mais je m'en suis quand même occupée, en même temps que les filles. »

« Je suis désolé de mon malencontreux retard, a répondu papa froidement, mais poliment. Tiens les rênes, Victoria. »

Il est descendu du véhicule familial, puis il a donné la main à la dame. J'ai pris les rênes en bénissant le Ciel que Bess soit d'un tempérament calme. Je voyais bien que papa était contrarié par quelque chose. Il avait l'air d'examiner sous toutes les coutures l'unique fille qu'il y avait là. Elle ne nous avait pas jeté un seul coup d'œil et elle n'avait pas prononcé un traître mot.

« Nous avons besoin de quelqu'un de fort pour aider mon épouse, a-t-il dit à la dame. Mais vous m'emmenez une enfant. Un pauvre petit être maladif qui ne sera d'aucune aide. »

Il a dit ça sans baisser la voix. La fille ne pouvait pas faire autrement que d'entendre ce qu'il disait. Je me suis dit qu'elle n'était qu'une orpheline et qu'elle devait avoir l'habitude d'entendre ce genre de remarques, mais j'étais quand même gênée pour elle. Papa n'était pas comme d'habitude. Je sais que, si j'avais été à la place de la fille, chaque mot qu'il a dit m'aurait fait l'effet d'un coup de poignard. Mais elle, elle n'a pas bronché et elle est restée immobile comme une statue.

« Je puis vous assurer, monsieur, qu'elle est tout à fait vigoureuse. Nous ne plaçons pas chez les gens des filles qui ne sont pas bien. Tu es très bien préparée pour cette place, n'est-ce pas, Mary Anna? Le docteur Barnardo tient à ce qu'elles soient parfaitement saines de corps et d'esprit. »

J'ai déjà entendu grand-papa Cope dire d'un cheval qu'il était parfaitement sain, jusqu'à la racine des dents. La dame a parlé de Mary Anna avec exactement le même ton de voix.

La fille a baissé la tête, tellement qu'on ne voyait plus que le dessus de son chapeau. Et elle a grommelé quelque chose sans la relever.

« Regarde-moi dans les yeux quand tu t'adresses à moi, mon enfant », a dit papa, encore une fois avec sévérité. Il n'aime pas les enfants qui baissent la tête, comme s'ils avaient honte d'eux-mêmes. Mais jamais il ne m'a parlé d'une telle façon. « Comment t'appelles-tu ? »

Alors elle a relevé la tête. Finalement, elle n'avait pas l'air timide. J'ai cru deviner une lueur de rage dans ses yeux, quand son regard s'est déplacé de l'étiquette portant son nom jusqu'aux yeux de papa. Puis plus rien. Elle n'a pas souri et elle n'avait pas l'air très avenante.

« Je m'appelle Mary Anna Wilson. Je suis forte et en bonne santé, a-t-elle répondu d'une voix claire, mais sur un ton égal, comme si tous ses mots avaient été aplatis par un gros fer à repasser. Et j'ai douze ans. »

En tout cas, ce n'est certainement pas elle qui va se moquer de moi, j'en suis sûre. Elle a le visage marqué par la variole et elle a les yeux verts. Pour ce que j'ai pu en voir, elle a les cheveux brun foncé et aussi raides que des cordes de poche, comme les miens. J'ai les cheveux assez longs pour pouvoir m'asseoir dessus quand je penche la tête en arrière, mais les siens ont été coupés juste sous les oreilles. J'ai le nez un peu plus long que le sien, mais à peine. Et il retrousse un tout petit peu, chez elle comme chez moi.

« Es-tu vaillante à l'ouvrage, Mary Anna ? » lui a demandé papa.

« Oui, monsieur », a-t-elle répondu.

« Si votre épouse n'en est pas satisfaite, faites-le-nous savoir par écrit, et nous l'enverrons ailleurs, a dit la dame. Les filles petites sont souvent endurantes et pleines d'énergie, vous savez. Plus travaillantes que les plus grosses. Auriez-vous préféré avoir un garçon ? »

« Non, merci, madame, a répondu papa, avec enfin un petit

sourire. J'ai moi-même deux garçons. Deux grands garçons, c'est déjà bien assez dans notre maison. Mais un de vos jeunes amis pourrait sans doute tenir la tête de mon cheval pendant que je règle avec vous les derniers détails et que je vous donne tous les renseignements dont vous avez besoin. Mary, installe-toi derrière Victoria. Je n'en ai que pour une minute. »

Un petit garçon aux cheveux roux, coiffé d'une casquette, se tenait à côté de Mary Anna. La dame lui a dit de prendre la bride. Il s'est dirigé vers la tête de Bess.

J'ai gardé les rênes dans mes mains. Je suppose que papa a pensé que Bess allait être un peu fâchée de le voir s'éloigner tandis qu'une étrangère montait dans la voiture.

En posant le pied sur le marchepied, la fille a arraché son étiquette et l'a jetée sur le quai. Et la seconde d'après, un coup de vent l'avait emportée.

Comme papa et la dame en ont eu pour un moment dans la salle d'attente, le garçon a relevé sa casquette et il s'est mis à dévisager Mary Anna. Ses cheveux roux lui tombaient dans les yeux. Et ses yeux étaient immenses et incroyablement bleus. Tom a les yeux bleus, mais jamais comme ceux-là. Comme son étiquette s'était retournée à l'envers, je n'ai pas pu savoir son nom.

Je ne peux plus écrire un seul mot de plus, car ma main ne veut plus. Et aussi, maman vient de me demander d'éteindre ma bougie. La suite pour demain, cher journal. Je sais que je m'arrête juste au moment où les choses devenaient intéressantes, mais je n'ai pas le choix. Tu devras prendre ton mal en patience.

Dimanche 30 mai, le matin,
avant le réveil des autres

Il y a tout plein de choses amusantes qu'on n'a pas le droit de faire, le jour du Seigneur, mais heureusement, écrire son journal n'en fait pas partie.

Je vais reprendre mon récit là où je l'ai laissé. Le garçon aux cheveux roux s'est adressé à notre orpheline.

« Tu as promis à maman de t'occuper de moi. Maintenant que je t'ai retrouvée, pourquoi est-ce que je ne peux pas rester avec toi? » a-t-il demandé.

Il parlait à voix basse, inquiet de se faire surprendre, mais j'ai tout entendu. Sauf le nom qu'il lui donnait, un surnom, je crois. Je me suis retournée pour regarder la fille. Son visage était sans expression, et ses yeux verts étaient froids comme de la pierre, fixant un point à l'horizon.

« Est-ce que c'est ton frère? » ai-je demandé.

Elle ne m'a pas répondu. Elle n'a même pas jeté un coup d'œil de mon côté.

« Jasper, arrête, a-t-elle dit. Tu sais très bien que je ne peux rien faire. Quand je serai en âge, on se retrouvera, promis. Tu as bien entendu que le docteur Cope n'a pas besoin d'un garçon. »

« Est-ce qu'on va retrouver Émilie Rose aussi? » a-t-il encore demandé d'un ton désespéré, tout en creusant un trou dans la poussière du chemin avec le bout de sa bottine.

J'ai entendu Mary Anna prendre sa respiration avant de lui répondre, mais papa est arrivé à ce moment-là. Il n'avait été parti qu'une dizaine de minutes. Il a chargé le coffre dans la voiture, puis il a dit au garçon qu'il pouvait lâcher la bride et il lui a donné un sou pour le service. Puis, au moment où il grimpait dans la voiture, trois autres voitures à cheval sont venues se stationner à côté de la gare.

J'ai vu un grand garçon dans la première voiture. Il était assis à côté de deux personnes qui étaient sans doute ses parents. Il avait des cheveux blonds, incroyablement bouclés, qui lui encadraient le visage. Il m'a souri. Je me suis mise à espérer qu'ils prennent Jasper chez eux.

Papa a fait claquer les rênes, et Bess s'est mise au trot.

« Au revoir, Moineau! » a lancé le garçon.

Je crois qu'il a dit « Moineau », mais je n'en suis pas absolument sûre, avec le tapage que faisait la voiture en roulant. Il avait l'air tellement misérable que j'avais envie de me mettre à pleurer. La fille ne lui a rien répondu.

Au moment où nous sortions de la cour de la gare, j'ai vu que la personne qui était dans la deuxième voiture était une femme qui ressemblait à un lapin mort de peur. Elle pense peut-être que ces enfants-là sont des bandits, comme maman, au début. Mais si c'est ça, elle se trompe. Ces enfants-là ont l'air très corrects, juste fatigués. Je lui ai souri, mais elle ne m'a pas souri en retour. Je n'ai pas remarqué qui il y avait dans la troisième voiture.

Papa ne nous a pas dit un mot, ni à l'une ni à l'autre. On aurait dit que quelque chose l'avait mis en colère. J'ai jeté un coup d'œil par-dessus mon épaule tandis que Bess trottait dans la rue, au même rythme que toutes les autres voitures. Les yeux verts de la fille n'étaient plus froids comme de la pierre. Ils étaient remplis de larmes. Elle ne s'est pas rendu compte que je la regardais, je crois, car je me suis aussitôt retournée. Mais je me sentais les joues en feu, comme si je m'étais fait prendre à espionner quelqu'un.

Comme c'était jour de marché, les rues étaient bondées de monde et d'animaux. Tous les chiens de Guelph semblaient s'être donné rendez-vous au milieu de la rue, entre les roues des voitures. Les hommes se traitaient les uns les autres de cochers du dimanche, tandis que leurs épouses s'échangeaient des salutations. Et les chevaux hennissaient en cascade, comme si eux aussi se retrouvaient là entre amis. Peut-être que c'était tout ce tapage qui rendait papa si silencieux. J'aurais voulu qu'il parle à l'orpheline pour qu'elle se sente la bienvenue, mais moi-même, je ne savais pas quoi dire.

J'essayais d'imaginer à quel point je serais triste si j'étais séparée de Tom ou de David. Je pense que, pour David, je ne verserais pas une larme. Pour Tom, je l'aime énormément. Mais je ne me vois pas me mettre à pleurer pour lui.

Je ne vais pas raconter tout de suite la mauvaise surprise qui nous attendait en arrivant à la maison. Toute une catastrophe!

L'après-midi

Voici ce qui s'est passé, cher journal.

Quand nous sommes revenus hier, il y avait, devant notre maison, une voiture louée à la gare. Le cocher, une malle sur les épaules, rouspétait. Tante Lib et Cousine Anna nous arrivaient un jour plus tôt que prévu et, même si je m'étais bien préparée à me réjouir de leur arrivée, je n'ai eu qu'à les regarder une toute petite seconde pour me sentir complètement catastrophée.

Avec toutes ces arrivées, j'avais oublié qu'on était samedi, mais c'était sans compter sur maman pour nous rappeler notre bain du soir. C'est toute une entreprise, de voir à ce que toute la famille soit bien propre pour le dimanche. Aux yeux de maman, la propreté n'est pas la première des vertus APRÈS la sainteté; les deux sont à égalité, et l'une ne peut pas aller sans l'autre. Ce soir, elle a demandé à David d'apporter encore plus de seaux d'eau à chauffer que d'habitude tandis qu'elle était occupée à installer Tante Lib et Cousine Anna dans la chambre d'amis qu'elles vont partager.

Puis elle nous a attrapées par le collet, Mary Anna et moi, et elle nous a fait descendre à la cuisine pour notre bain. Nous étions toutes les deux gênées, même s'il y a un paravent pour se déshabiller. Comme c'était moi qui devais commencer, je lui ai tourné le dos, j'ai enlevé tous mes vêtements et j'ai enjambé la grande bassine. Pendant que je me savonnais, maman bavardait avec Mary Anna.

« Serais-tu d'accord pour que nous t'appelions simplement Mary, lui a-t-elle demandé. Parce que deux Anna dans la même maison, c'est un peu mêlant. »

« Oui, madame », a répondu Mary Anna, avec une drôle de voix.

Je n'aimerais pas qu'on se mette à m'appeler Joséphine s'il y avait une autre Victoria chez nous. Moi, c'est Victoria. Alors j'ai décidé de ne pas faire comme les autres et de l'appeler Mary Anna. Elle continuait à parler avec maman.

« Madame, ils nous ont passé toute la tête au peigne fin avant de quitter l'Angleterre, puis en arrivant à Hazelbrae et encore une autre fois, le soir, avant de venir ici. S'il reste une seule lente dans mes cheveux, ce sera un miracle. »

Elle parlait de manière très polie, mais avec un ton de dégoût dans la voix.

Elle a un accent. Ce n'est pas le cockney des quartiers pauvres de Londres, mais ça sonne très britannique. Je ne suis pas capable de représenter son accent avec les lettres de l'alphabet. D'ailleurs, je n'aime pas les livres où on fait parler les personnages à la manière des Écossais ou d'autres peuples. Au lieu d'avoir juste à lire pour comprendre, il faut tout le temps réécrire les mots dans sa tête.

J'aurais pu lui dire que maman vérifierait ses cheveux. Elle ne veut pas voir un seul pou dans sa maison.

Je suis sortie de la bassine, je me suis essuyée avec la serviette de bain et j'ai enfilé ma robe de nuit. Puis maman m'a frisé les cheveux avec des papillotes qui me font des bosses quand je dors dessus et qui me font des boucles qui durent jusqu'au milieu de l'avant-midi seulement. Pendant ce temps-là, Mary Anna se frottait avec la brosse, de la tête aux pieds. Maman l'a laissée utiliser le savon à la lavande qu'elle fabrique elle-même. J'ai bien vu que Mary Anna n'avait pas l'habitude d'avoir du savon qui sent si bon, mais elle n'en a rien dit. Je l'ai vue le mettre sous son nez et respirer très fort avec un grand sourire. Je crois que c'était son premier sourire depuis son arrivée chez nous.

Finalement, nous étions toutes les deux prêtes pour la journée du dimanche.

Papa veut faire installer une salle de bain dans notre maison, avec de l'eau chaude qui coule par un robinet, directement dans la baignoire. Ils en ont une chez mon amie Élisa Miller, mais son père est juge. Ils ont déménagé le mois dernier, et elle et sa sœur me manquent beaucoup. Quand Tom et moi, nous nous rendons au catéchisme du dimanche, la classe me semble toute différente, sans Élisa. Mais j'aime bien Roberta Johns, aussi. Je ne me suis jamais vraiment intéressée à elle, parce que j'avais Élisa comme amie, mais je crois que Roberta pourrait devenir une bonne amie aussi. Je me demande si elle m'aime.

J'ai surpris Moïse qui suivait Mary Anna jusque dans son lit, dans l'ancienne chambre de Peggy. Pas de drap de caoutchouc pour elle. Elle a regardé notre chatte et elle lui a souri d'une façon qui me laisse penser qu'elle pourrait devenir mon amie, si elle n'était pas une orpheline. Je ne sais pas trop comment me comporter face à une fille qui est plus petite que moi, mais plus âgée d'un an.

Le soir

Le jour du Seigneur est censé être un jour de repos, mais ce dimanche a été plus occupé que jamais. Comme on dit : « Il n'y a jamais de repos pour les braves ». Mais le dimanche, on devrait plutôt dire : « Il n'y a jamais de repos pour les pieux ». Les « braves », eux, peuvent se prélasser toute la journée, s'ils en ont envie. Mais nous, en bons presbytériens, nous n'avons pas une minute de repos. D'abord, nous nous rendons à l'église trois fois dans la même journée et nous devons porter nos habits du dimanche du matin jusqu'au soir, en faisant bien attention de ne pas les salir. Et nous sommes censés avoir seulement des pensées pieuses. Heureusement que personne ne peut venir le vérifier à l'intérieur de notre crâne! Chaque semaine, nous devons apprendre par cœur des versets de la

Bible et chaque semaine, nous le faisons à la dernière minute. Cette semaine, je devais apprendre le psaume 23. Par chance, je le connaissais déjà. Tom, lui, a eu de la difficulté à apprendre son passage, et papa l'a fait répéter et répéter pour qu'il ne se trompe plus.

Quand je suis descendue pour le déjeuner, Mary Anna s'était déjà mise à l'ouvrage. J'allais lui dire bonjour, mais son visage était aussi fermé qu'une porte à laquelle on aurait suspendu un écriteau avec, écrit dessus : PRIVÉ. DÉFENSE D'ENTRER. Et ses traits étaient aussi figés que si elle s'était enduit le visage d'empois. Je me demande si elle était comme ça pour s'empêcher de pleurer. Elle gardait les yeux baissés, sans regarder personne en face.

J'ai pris le bol de gruau que maman me tendait et je me suis assise. Mary Anna avait probablement mangé le sien un peu plus tôt. Elle ne s'est pas arrêtée de travailler une seule seconde.

Puis David est arrivé. Il s'est laissé tomber sur sa chaise et il a demandé à Mary Anna de lui apporter son gruau. Il lui a parlé d'un ton rude, comme si elle avait été son esclave. Et beaucoup trop fort aussi, comme si elle avait été sourde.

« David Cope, attention à tes manières! » lui a dit maman, qui n'a pas vu son regard furieux parce qu'elle était occupée à servir papa.

Quand Mary Anna a déposé le bol de gruau devant lui, il a aussitôt plongé sa cuillère dedans, sans même la remercier. Des fois, il me fait honte. Un jour, j'ai entendu papa dire de lui qu'il avait la tête froide d'un analytique. Le cœur aussi, je crois.

« Maintenant que nous sommes tous réunis, remercions

Dieu pour la nourriture qu'il nous a procurée », a dit papa.

David a dû lâcher aussitôt sa cuillère. Au moins, papa ne nous fait pas mettre à genoux. Quand maman était petite, toute la famille devait s'agenouiller pendant que son père disait la prière et, avec le temps qu'il lui fallait pour se rendre jusqu'au « Amen », le repas avait complètement refroidi. C'est mieux avec papa. Ses prières sont toujours courtes.

Nous sommes censés adorer le jour du Seigneur et toujours en faire une sainte journée. Ça veut dire que nous ne pouvons pas jouer et que nous devons lire des livres édifiants. C'est maman qui les choisit. Il nous arrive de les aimer, comme *La case de l'oncle Tom*, que nous venons juste de finir. J'ai trouvé que c'était un très bon livre.

J'ai repensé à la scène du marché aux esclaves qu'il y a dedans, et ça m'a rappelé le jour où papa et moi, nous sommes allés chercher Mary Anna à la gare. Je l'ai dit à papa, quand nous sommes allés ensemble faire notre promenade du dimanche. Il a ri.

« Non, Vic, a-t-il dit. Il faut payer pour avoir un esclave. Les orphelines sont gratuites. Et même, les foyers défraient une partie des coûts pour leur subsistance, au début. »

Une fois de plus, il avait l'air fâché. Je n'avais aucune idée pourquoi. Ce doit être encore une de ces choses qu'il n'est pas bon que les enfants entendent. Maman a toute une grande liste de ce genre de choses. Et moi, je fais tout ce que je peux pour découvrir de quoi il retourne sans que personne ne s'en aperçoive.

C'est comme ça que j'ai finalement appris ce qui est arrivé à Peggy. Notre voisine, madame Cameron, a dit à maman que

Peggy est mariée maintenant et que, en plus, elle va avoir un bébé. Je ne suis pas capable d'imaginer Peggy en maman. Je voudrais tellement poser des questions à maman sur toute cette histoire, mais je sais qu'elle ne m'en dira pas un traître mot.

J'ai appris tout ça en les espionnant tandis qu'elles bavardaient ensemble. Madame Cameron connaît tous les potins et elle vient toujours les raconter à maman. Morceau par morceau, avec beaucoup de jus, comme dit papa!

Maman est toujours occupée à broder ou à repriser quand madame Cameron vient bavasser, mais elle garde les oreilles grandes ouvertes.

« Oh non, madame Cameron. Je suis sûre que vous vous trompez », s'exclame-t-elle à tout bout de champ.

Alors madame Cameron, pour prouver qu'elle dit vrai, se met à rajouter toutes sortes de détails pittoresques. Elle dit que madame Dougal, qui va venir nous aider pour le gros ouvrage, « n'a pas beaucoup de jasette, mais qu'elle est bien travaillante ».

Madame Cameron, elle, elle en a de la jasette. La dernière fois qu'elle est venue chez nous, elle a raconté qu'un chien avait été « sectionné » en deux par une roue de voiture, au beau milieu de la rue principale de Guelph. Plus tard, j'ai demandé à maman ce que ça voulait dire « sectionner », et je me suis fait gronder pour avoir écouté aux portes. Je ne sais toujours pas ce que ça veut dire. Si je le demande à papa, il va me répondre d'aller regarder dans le dictionnaire. C'est peut-être ce que je vais faire.

À l'église, nous avons chanté mon cantique préféré. Mary Anna est venue à l'église avec nous, mais elle n'a pas chanté. Je me demande pourquoi. C'était évident qu'elle connaissait les cantiques. Je l'ai vue bouger les lèvres pendant que nous chantions.

Le soir, aux vêpres, papa s'est endormi et il s'est mis à ronfler doucement.

« Donne-lui un coup de coude, Victoria », m'a chuchoté maman, toute rouge de honte.

Je lui ai planté mon coude dans les côtes. « Qu'est-ce qui se passe, Lili? » a-t-il lancé en se réveillant, tout énervé.

Puis il s'est rappelé où il était et il a aussitôt baissé la tête comme s'il priait pour son salut éternel. J'étais assise à côté de lui et je me suis rendu compte qu'il riait! Et moi aussi, j'étais sur le point d'éclater de rire. Puis j'ai regardé du côté de maman. Je ne sais pas comment elle fait, mais d'un seul regard, elle peut vous enlever toute envie de rire.

C'est l'heure de dormir.

Dans ma nouvelle chambre
Lundi 31 mai, à la fin de l'après-midi

Cousine Anna et Tante Lib étaient censées partager la chambre d'invités, mais ce matin, Cousine A. ne cessait pas de répéter qu'elle a le sommeil léger et que son repos est très important, à cause de sa santé fragile. (Qu'elle essaie donc de dormir avec un chiot carlin!) Alors j'ai dû déménager dans la chambre de Mary Anna. Tom a laissé la chambre des garçons pour la mienne, car elle est trop petite pour un invité. Cousine Anna profite de la belle grande chambre en façade que les garçons avaient jusque-là. David ira dormir sur le canapé du boudoir. C'est comme un jeu de chaises musicales. Mais ça ne dérange pas trop David car, quand l'école sera finie, il s'en ira habiter à la ferme de grand-papa Cope. Là-bas, il va travailler comme les autres engagés et il va recevoir un salaire.

Avec tout ça, la pauvre Mary Anna n'aura plus de chambre à elle toute seule tant que Tante Lib et Cousine Anna seront chez nous. Elle va dormir sur le vieux lit pliant, et je vais prendre le bon lit qu'elle avait jusque-là. Je suis assise dessus, en ce moment, et je profite des quelques minutes qu'il me reste avant la préparation du souper pour écrire ces mots.

Maman a dit que la chambre était plutôt petite pour deux personnes, mais que ce ne sera pas pour très longtemps. (Elle a probablement oublié l'autre fois, quand leur visite a duré presque six semaines!) Six semaines à vivre coincée dans la petite chambre avec Peggy, ça m'avait semblé immensément long. Mais là, Mary Anna m'intéresse beaucoup, et je vais avoir l'occasion de mieux la connaître, maintenant que nous partageons la même chambre.

Je m'imagine ce que Nellie Bigelow dirait si elle était obligée de dormir dans la même chambre qu'une orpheline. Elle en mourrait sûrement. En tout cas, elle serait très méchante envers Mary Anna. Aujourd'hui, elle m'a traitée de snob parce que j'ai fait la grimace quand elle s'est mouchée en faisant un bruit de trompette. Maman est allée à l'école avec la mère de Nellie et elle dit qu'elles sont pareilles, toutes les deux.

« N'oublie jamais, Victoria, comme tu as de la chance de m'avoir pour maman, au lieu de Bertha Bigelow », m'a-t-elle dit un jour, et elle a bien raison.

Il y a un roman-feuilleton dans le journal, qui a pour titre *L'orpheline, ou Les misères de la vie*. Nellie devrait le lire.

Maman nous a envoyées, Mary Anna et moi, changer les lits avant que je parte pour l'école, ce matin. Ronchon m'avait réveillée de bonne heure, et j'avais donc le temps de le faire. Nous n'avons pratiquement pas parlé, mais j'ai bien aimé travailler avec elle. C'était un peu comme d'avoir une sœur.

David serait choqué, à cette idée. Pour lui, une orpheline est une domestique, jamais une amie et encore moins une sœur! Parfois, j'ai de la peine pour David. Il se coupe du reste du monde. En géographie, j'ai appris qu'une île est une portion de terre entourée d'eau. Eh bien, l'univers de David, c'est une île-David entourée d'eau-David.

Ce que je viens d'écrire peut paraître bizarre, cher journal, mais je me comprends.

J'ai transporté ma brosse, mon peigne et ma robe de nuit dans notre chambre, avant de descendre à mon tour. Ronchon m'a suivie, comme d'habitude, et il a regardé dans tous les coins.

« J'espère que ça ne te dérange pas d'avoir Ronchon avec nous », ai-je dit à Mary Anna tandis qu'elle replaçait des choses dans la commode.

Je ne sais pas ce que j'aurais fait si elle m'avait répondu qu'elle ne peut pas dormir dans une chambre où il y a un chien. Heureusement, ce n'est pas ce qu'elle a dit.

« Qui oserait se plaindre de Ronchon? » a-t-elle répondu, d'un ton amusé.

Ses sourires sont tellement rapides, comme un petit oiseau-mouche qui passe.

« Prends bien soin de lui aujourd'hui, pendant que je serai à l'école », ai-je dit.

Elle a hoché la tête. C'est bien pour lui qu'elle soit là, mais je me sens un petit peu jalouse. Demain, Mary Anna va commencer l'école; alors, pendant ce temps-là, Ronchon restera à suivre maman. Il n'aime pas beaucoup Tante Lib et Cousine Anna.

Il n'y a pas de drap de caoutchouc dans ce lit-là. Maman n'en a pas parlé, et je fais semblant de ne pas être au courant.

Plus tard, après dix heures

Quand notre bougie a été éteinte, et avant de nous endormir, j'ai pris mon courage à deux mains pour interroger Mary Anna à propos du petit garçon nommé Jasper. Ça me démangeait de lui en parler depuis le jour même où nous l'avons ramenée de la gare.

« Est-ce que c'est ton frère? Est-ce qu'il est arrivé avec toi? La dame a dit que les garçons venaient d'un autre endroit. »

Mais elle n'a rien répondu.

« Est-ce que tu dors, Mary Anna? » ai-je dit.

Elle faisait semblant. Je l'ai écoutée respirer. Elle ne dormait pas. Mais je l'ai laissée continuer de faire semblant. Je lui en reparlerai quand je la connaîtrai mieux.

C'est bien de pouvoir rallumer ma bougie sans qu'elle se réveille…

Au moment où j'écrivais ces mots, la porte s'est entrouverte et Moïse est entrée. Elle a fait comme si je n'étais pas là et elle a sauté sur le lit de Mary Anna. Je crois que j'ai vu Mary Anna bouger un peu pour lui faire de la place, mais je me trompe peut-être, aussi.

Juin

Mardi 1ᵉʳ juin, après le déjeuner

Nous devons bientôt partir pour l'école, mais avant, il faut absolument que j'écrive ce qui est arrivé au déjeuner. Maman a appelé Mary Anna à cinq heures et demie. Hier, elle l'a laissée dormir jusqu'à sept heures, car elle voulait lui laisser une journée pour s'installer chez nous, avant de l'envoyer à l'école. Mais maintenant, elle doit descendre pour allumer le poêle, apporter de l'eau fraîche et la mettre à chauffer pour nos toilettes et le thé, mettre la table et commencer à préparer le déjeuner.

Quand Mary Anna est sortie de la chambre sur la pointe des pieds, Ronchon ne voyait pas pourquoi il ne commencerait pas sa journée, lui aussi, et il s'est mis à essayer de m'enlever mes couvertures. J'ai fini par abandonner la partie et par me lever, moi aussi. Je me sentais bizarre en pensant à Mary Anna qui doit se lever bien avant moi. C'est étrange, parce que pas une fois, je ne me suis sentie coupable face à Peggy qui devait se lever très tôt, et j'entendais tout son tapage. Mary Anna est plus près de mon âge, bien sûr, et comme nous partageons la même chambre, je me sens avec elle autrement qu'avec Peggy. En tout cas, j'ai fait ma toilette, je me suis vite habillée et je suis descendue beaucoup plus tôt que d'habitude.

Tante Lib était déjà assise à la table de la cuisine. Elle ne s'était peut-être pas couchée du tout. Elle était assise raide comme un piquet et elle jetait un regard sévère à chaque nouvel arrivant, comme si de ne pas se lever et s'habiller aux aurores faisait de vous un incorrigible paresseux.

Je l'ai regardée droit dans les yeux et, pour la première fois de ma vie, je me suis rendu compte qu'elle était vraiment vieille. Elle a la peau toute plissée comme les vieux gants de cuir que maman utilise pour le jardinage. Elle a les mains toutes couvertes de taches brunes. Et le pire de tout : elle a des MOUSTACHES! Elle m'a surprise en train de la dévisager.

« Eh bien, mademoiselle, tu vas sûrement me reconnaître, la prochaine fois que nous nous rencontrerons », m'a-t-elle dit d'un ton sec.

Sa voix était tellement désagréable que Ronchon s'est mis à grogner.

« Je suis désolée, ma tante », ai-je dit en me retenant pour ne pas éclater de rire.

Avant que je passe à table, maman a défait mes tresses et elle m'a peigné les cheveux, sans dire un mot. Je peux le faire moi-même, mais elle le fait bien mieux que moi.

Au retour de l'école

Je continue ce que j'avais commencé à raconter ce matin, parce que je n'ai pas eu le temps de finir, avant de partir.

Tante Lib, en apercevant Mary Anna, l'a regardée avec un air aussi dégoûté que si elle avait trouvé une limace dans la cuisine.

« Cette fille est maigre comme un chicot, a-t-elle dit. Comment le docteur peut-il penser qu'elle pourra vraiment aider à l'ouvrage de la maison? Je ne comprends pas. »

Quand elle parle de papa, elle dit toujours comme ça, en l'appelant « le docteur ». Nous ne savions plus quoi dire. Elle nous parle toujours de nos mauvaises manières, mais elle est bien pire que nous. Elle a bien vu que nous étions choqués, car elle a rougi un peu. Mais elle n'avait aucune honte de ce qu'elle venait de faire. Elle pense que tout ce qu'elle dit ou fait est toujours correct.

« Et pourquoi donc, je te prie de me dire, porte-t-elle une belle robe pour faire le ménage? » a-t-elle demandé.

« Mary Anna est habillée pour aller à l'école, a répondu maman calmement. Je l'ai aidée à choisir sa robe, hier soir. »

J'étais là quand maman a passé en revue le contenu de la malle que Mary Anna a apportée de chez le docteur Barnardo. Les vêtements ont été coupés suivant les mesures qu'elle avait avant de quitter l'Angleterre, mais elle a grandi et elle s'est amincie durant la traversée, puis à Hazelbrae. Elle a raconté qu'elle avait beaucoup souffert du mal de mer. Mais deux ou trois robes lui font encore, et maman a dit qu'on pouvait en récupérer deux autres en les ajustant. Mais il n'y en a pas une de vraiment jolie. Elles sont toutes sans aucune fantaisie, sans volants, ni rubans, ni jolis boutons. Il y a aussi des bottines, des sous-vêtements, un béret écossais et un châle. Il n'y avait qu'une seule belle robe du dimanche, et maman lui a dit qu'elle allait la mettre pour l'école, au moins pour le premier jour, en attendant que madame Dougal et elle puissent se mettre à l'ouvrage et arranger les deux autres.

Mary Anna a offert de rester à la maison, mais maman n'a pas voulu en entendre parler. J'aurais pu dire à Mary Anna d'économiser sa salive. Mes parents sont prêts à tout pour que chacun de nous reçoive la meilleure éducation qui soit. Y compris les orphelines.

« À l'école! » a dit Tante Lib en manquant s'étrangler et en se dressant sur sa chaise comme si quelqu'un venait de lui appuyer un pistolet sur la tempe. Et ses yeux étaient tellement grands ouverts qu'on aurait dit qu'ils allaient tomber par terre. « Mais elle ne peut pas aller à l'école », a-t-elle ajouté.

Maman lui a expliqué que Mary Anna allait à l'école avec moi, ce matin. Elle parlait d'une voix tellement neutre que j'ai cru que Tante Lib allait laisser tomber la discussion. Mais non!

« À quoi lui servira ce qu'elle apprendra dans les livres? Tu peux lui montrer à tenir maison ici même. Anna n'est jamais allée à l'école. »

« Je sais », a dit maman.

Je n'arrive pas à décrire la manière dont elle a dit ces deux mots. Mais c'était comme si elle en avait dit beaucoup plus que seulement ces deux-là. Puis, après une drôle de petite pause, elle a continué. « Mary n'a que douze ans. Ça fera de la compagnie à Victoria quand Thomas partira pour le collège en septembre. »

« Dieu merci, elle ne va pas à la grande école! » a grommelé David.

Maman l'a regardé sans rien dire, d'un de ses regards qui vous donnent envie de rentrer dans le plancher.

« Excuse-moi », a-t-il dit aussitôt en prenant la poudre d'escampette.

« C'est insensé, a dit Tante Lib, comme si David n'existait pas. Je croyais que cette orpheline était là pour aider dans la maison, pas pour devenir une bouche de plus à nourrir! »

Maman a dirigé son regard vers l'assiette bien remplie de Tante Lib, sans lui répondre, car il était inutile de discuter avec elle. J'étais bien contente. Tante Lib ne veut jamais changer d'opinion sur quoi que ce soit, même si on se tue à essayer de lui faire comprendre qu'elle a tort. Mais Tante Lib n'a pas laissé tomber pour autant. Elle a continué en disant qu'elle avait entendu dire que les orphelins étaient, pour la plupart, des délinquants qui devraient apprendre à écrire leur nom, et c'est tout.

« Ton cousin Albert dit que ce sont tous des débiles mentaux. Et que plusieurs sont bourrés de maladies », a-t-elle dit.

Maman avait envoyé Mary Anna chercher d'autre eau, mais elle est revenue juste à temps pour entendre ces derniers mots. Elle a posé le seau par terre avec brusquerie et elle est allée tisonner le feu. Son visage était encore plus rouge que le feu dans le poêle.

« Tante Lib, c'en est plus qu'assez! Cette enfant a des oreilles et elle est nouvelle parmi nous, lui a répondu maman d'un ton sec. Je ne tolérerai pas que vous parliez d'elle comme si c'était un meuble de la maison. »

Tante Lib a tourné la tête, avec un air de profond mépris. De surprise et de peur, Cousine Anna avait la bouche toute grande ouverte. Maman a jeté un regard de son côté, puis elle a continué à expliquer, d'un ton plus doux, qu'il était entendu que Mary Anna irait à l'école, d'autant plus que nous n'avons pas de ferme pour l'y faire travailler. Puis elle a dit que papa avait engagé madame Dougal.

« D'ailleurs, a-t-elle dit pour terminer, Mary Anna sait lire et compter aussi bien que les petits Canadiens de son âge. »

Papa est alors entré dans la cuisine et il a demandé à

Cousine Anna si elle avait mieux dormi. Maman nous a dit, à Mary Anna et à moi, de monter faire nos lits, comme il n'était pas encore l'heure de partir. J'ai fait le mien en un clin d'œil pour me garder du temps pour raconter l'horrible scène du déjeuner dans tous ses détails avant d'oublier. Je n'ai jamais eu honte comme ça d'un de mes parents, adulte en plus, mais à écouter Tante Lib parler comme elle l'a fait, j'en ai eu mal au ventre. Mais là, je dois me SAUVER!

Après le souper

Maman pense que je suis en train de faire mes devoirs, mais j'ai encore quelque chose à raconter.

Nous sommes partis tous les trois à l'école. Tom s'y rend souvent avec un ami, mais aujourd'hui, il nous a accompagnées, en pensant peut-être que nous avions besoin de lui. Et c'était peut-être vrai. Nous avons rencontré madame Dougal en chemin. Quand elle nous a croisés, elle a fait un petit salut de la tête et elle a continué sans dire un mot.

Je pensais que Mary Anna voudrait bavarder avec nous en chemin, mais elle s'est contentée de nous suivre, à deux pas derrière nous. Quand je lui ai dit de se joindre à nous, elle a baissé les yeux et elle a continué à marcher du même pas, sans se rapprocher. Finalement, je me suis arrêtée pour essayer de la convaincre. Pour de vrai, j'avais presque oublié qu'elle était derrière nous. Nous sommes arrivés à l'école juste pour la fin de la cloche. Tout le monde était déjà entré.

Quand nous sommes arrivés dans la salle de classe, tout le monde s'est retourné pour regarder notre orpheline. Les plus grandes l'examinaient de la tête aux pieds comme si elle avait été une attraction présentée au festival d'automne. Quelque chose comme un veau à deux têtes, par exemple.

« Oh, c'est leur orpheline, a dit Polly Sampson à Nellie. Ma mère a parlé avec madame Cope, à l'église, et elle lui a raconté qu'ils en attendaient une. Mais je n'aurais jamais pensé quelle viendrait à l'école avec nous. »

Mary Anna et moi, nous avons toutes les deux détourné les yeux en faisant comme si nous n'avions rien entendu. C'était lâche de ma part, sans doute, mais je ne pouvais pas faire autrement. Je ne savais pas quoi dire. Je cherchais dans ma tête des mots qui l'auraient remise à sa place, mais je n'en trouvais pas.

Monsieur Grigson a tourné les yeux une seconde vers Mary Anna, puis il l'a envoyée s'asseoir au fond, dans la rangée qu'il garde libre pour les arriérés mentaux et les étrangers de passage, et aussi pour le garçon trouvé sur les marches de la maison communale quand il était bébé.

Il y a deux ans, madame Symes, la veuve du pasteur baptiste, a décidé de prendre le garçon chez elle à Guelph. Elle a dit à maman qu'il était bien fiable et qu'elle l'aimait beaucoup. Il s'appelle Jed Pryor et il est intelligent, même s'il n'ouvre jamais la bouche. Un jour, je l'ai vu qui lisait un gros livre qu'il avait trouvé sur la tablette au fond de la classe. Il l'a caché dans son pupitre jusqu'à ce qu'il l'ait tout lu, et monsieur Grigson ne s'en est jamais rendu compte.

Je n'ai pas protesté contre monsieur Grigson qui envoyait Mary Anna au fond de la classe. Ça ne l'aurait pas aidée si je l'avais fait. Elle se sentira peut-être plus à sa place, là-bas en arrière, et moins menacée. Il ne s'occupe à peu près pas des élèves assis au dernier rang. Il semble s'apercevoir de leur présence seulement quand il est furieux pour on ne sait quelle raison et qu'il a besoin de s'en prendre à quelqu'un. Personne n'a jamais osé se plaindre auprès de la direction de l'école pour cette façon qu'il a de traiter ces enfants-là.

Finalement, maman avait raison à propos de Mary Anna. Elle sait calculer aussi bien que moi. Elle peut lire aussi, mais pas aussi bien. Elle arrive à déchiffrer les mots, mais elle les dit d'une voix lente, sans ce que maman appelle de « l'expression ». Maman et papa nous font la lecture à haute voix depuis que nous sommes tout petits. Je crois que personne dans la classe n'a écouté Mary Anna tandis qu'elle lisait. Quand on l'écoute, on dirait qu'elle lit aussi lentement que si elle marchait sur une mince couche de glace. On a même envie de lui tendre la main, au cas où elle perdrait pied. Mais on ne le fait pas, et elle non plus.

« Bon, c'est satisfaisant », a dit monsieur Grigson quand Mary Anna a eu lu quelques paragraphes. Il avait l'air surpris et, en même temps, insulté, comme s'il avait été déçu.

Puis Nellie Bigelow a demandé que Mary Anna se déplace de quelques sièges. Elle était assise juste derrière le pupitre de Nellie.

« On sait bien que tous les orphelins ont des poux », a-t-elle dit, en se secouant la chevelure comme un cheval le fait avec sa crinière.

Elle a le visage allongé et, quand elle rit, on dirait qu'elle hennit. C'est bizarre comme toutes ces caractéristiques sont belles chez un cheval, mais deviennent très laides sur la personne de Nellie.

J'ai failli lui dire que Mary Anna n'avait aucun poux puisque maman avait vérifié. Puis j'ai aperçu Mary Anna qui me regardait droit dans les yeux et j'ai vu tout de suite qu'elle priait pour que je ne dise rien. Alors je me suis tue.

Nous sommes revenus à la maison à midi, comme d'habitude. Et j'ai beaucoup parlé, comme d'habitude. Mary Anna aurait peut-être raconté à maman son avant-midi, mais elle mange dans la cuisine. Je suis certaine qu'elle n'aurait pas dit un mot à propos de l'école. Sûre à cent pour cent!

Dès notre retour à l'école, Tom a couru rejoindre les autres garçons. Mary Anna et moi, nous nous sommes dirigées vers l'endroit où les filles s'étaient regroupées, sous les arbres dans un coin de la cour. Mais elle est restée en retrait. Elle s'est assise contre la clôture, dans un coin sans ombre. Je suppose que j'aurais dû l'appeler pour qu'elle vienne se joindre à nous, mais je n'en étais pas capable. Elle avait fait son choix. Si elle s'était assise tout près de moi, je ne me serais pas éloignée d'elle. Je crois qu'elle ne nous aime pas.

Je ne suis pas d'accord avec David, à propos des orphelins, mais je crois quand même qu'ils sont très différents de nous. Si ce n'était pas le cas, ils n'auraient pas quitté leurs familles en Angleterre. S'il arrivait malheur à papa et que nous nous retrouvions sans le sou, nous irions directement chez Oncle Pierre ou chez nos grands-parents. Tout le monde a de la parenté.

Mary Anna a pris un livre et elle s'est plongé le nez dans sa lecture. Mais elle n'a pas tourné une seule page. Je l'ai bien vu, du coin de mes yeux. Nous avons joué à colin-maillard, au chat et à la marelle. J'ai essayé de m'amuser comme ça, mais j'étais bien contente quand le maître a sonné la cloche.

J'ai jeté un coup d'œil au livre de Mary Anna, un peu plus tard. Pas surprenant qu'elle n'ait pas tourné une seule page : c'est l'histoire d'une fille qui est tellement sainte nitouche que ça n'intéresse personne. Même Beth March, dans les histoires de la famille March, qui est un peu trop petite fille sage, est encore cent fois plus vivante que cette fille.

Quand nous sommes revenus à la maison après quatre heures, Tante Lib et Cousine Anna étaient dans la cuisine. Je suis entrée en courant pour raconter ma journée, mais à voir leur tête, je n'ai pas desserré les dents.

« Ma fille, va me chercher du thé », a ordonné Tante Lib avant même que Mary Anna ait pu déposer ses livres.

« Oui, ma tante », ai-je ânonné en me précipitant vers le poêle.

« Non, pas toi, mademoiselle, et tu le sais très bien », a-t-elle aboyé.

Mary Anna était en train de lui remplir sa tasse, sans dire un mot, quand je suis partie et que je suis montée ici pour écrire.

Plus tard

À la seconde même où je suis redescendue, Cousine Anna m'a dit qu'elle était désolée, mais qu'elle avait brisé un petit bibelot dans ma chambre. C'était la statue d'une petite bergère que mon ancienne maîtresse de catéchisme m'avait donnée en souvenir, avant de se marier et de partir vivre à Waterloo. J'avais ma petite bergère depuis l'âge de sept ans et je l'aimais beaucoup. Je l'avais même appelée Lucette. J'étais sans voix. Je me suis retournée, en espérant que Cousine Anna ne me verrait pas pleurer.

« Je suis vraiment désolée, Victoria ma chérie, a-t-elle dit d'un ton mielleux. Mon écharpe s'est prise dedans et l'a fait tomber de la commode. Ce n'était qu'un petit bibelot de pacotille, sinon il aurait été assez lourd pour ne pas basculer comme ça. Tu devrais toujours mettre tes choses bien au fond, ma chérie, si tu tiens à les garder. »

Lucette est restée sur ma commode, sans problèmes, pendant quatre ans. Je déteste Cousine Anna. D'ailleurs, qu'est-ce qu'elle faisait dans ma chambre ? Elle est laide comme un pou. Et puis, je n'allais quand même pas dire : « Ne t'en fais pas, ce n'est pas grave ». C'est TRÈS grave !

Pourquoi s'arrange-t-elle pour être si laide ? Elle porte des lunettes qui sont toutes sales et égratignées, et ses chaussures font autant de bruit que les sabots d'un cheval quand elle marche. Ses vêtements sont soit gris, soit noirs, et ils sont sans attrait. Elle a les cheveux tirés en un chignon serré. Elle sourit tout le temps, mais toujours d'une manière fausse ou sans joie. Et elle espionne toujours tout le monde, dans l'espoir de surprendre quelqu'un en train de faire quelque chose qu'elle pourra aller rapporter à maman. J'aimerais bien que Ronchon la morde.

Je ne peux pas croire qu'elle a déjà été une enfant. Je crois qu'elle est née comme elle est : hypocrite et geignarde.

C'est drôle comme d'écrire tout ça en noir sur blanc me fait me sentir mieux. C'est comme quand, l'été dernier, maman a percé le furoncle que Tom avait dans le cou et que le pus s'est mis à couler. À la minute même, Tom a dit qu'il se sentait déjà beaucoup mieux.

Tandis que je ramassais les miettes de Lucette dans ma corbeille à papiers, madame Dougal, qui n'avait pas encore fini le ménage, est passée devant ma chambre, la vadrouille à la main. Elle s'est arrêtée, elle a jeté un coup d'œil sur Lucette, elle a fait claquer sa langue en signe de sympathie et elle a continué son chemin jusqu'au fond du couloir. Elle n'a pas dit un mot. J'ai soigneusement rassemblé les petits morceaux de porcelaine dans un joli mouchoir que m'a donné grand-maman Sinclair. Il a de délicates marguerites brodées dans un coin. Puis madame Dougal m'a apporté une petite boîte vide qui sentait encore les bonbons au chocolat. Elle était juste assez grande pour contenir tous les morceaux.

Sans me laisser le temps de la remercier, elle est repartie, toujours sans dire un mot. Je l'aime beaucoup.

J'ai déposé le corps brisé de Lucette dans ma boîte à trésors, qui est une cassette de bois de cèdre que papa m'a donnée pour mes neuf ans. Je vais la garder toute ma vie. Je crois que je ne pardonnerai jamais ça à C. A.

Le soir, vers huit heures

Après le souper, maman nous a soudainement annoncé qu'elle voulait que Tom aide Mary Anna à faire la vaisselle parce qu'elle avait autre chose à me faire faire en haut. Une fois que nous avons été rendues dans sa chambre, elle s'est assise et elle m'a tendu son petit tabouret.

« Assois-toi, Victoria. Je vois bien que tu es sur le point d'exploser d'indignation, et il est temps de te soulager le cœur. »

Je ne sais pas comment elle fait pour le savoir, mais je lui ai aussitôt expliqué mon problème. « Pourquoi Cousine Anna est-elle si différente de Tante Lib? lui ai-je ensuite demandé. Tante Lib est tellement autoritaire et Cousine Anna est tellement toujours en train de geindre. Elle dit qu'elle ne veut pas faire de chichis, et la minute d'après, c'est exactement ce qu'elle fait. Mais elles sont toutes les deux insupportables. »

Maman m'a caressé la tête, toujours très calme.

« Pourquoi sont-elles si différentes? ai-je répété. Tellement qu'on ne les dirait pas de la même famille. »

Maman a souri, puis elle m'a surprise avec l'histoire qui suit. « Il est temps pour toi d'apprendre quelques-unes de nos histoires de famille. Elles ne se ressemblent pas parce qu'elles ne sont pas parentes. »

Je m'étais appuyée contre elle, mais je me suis redressée pour la regarder.

« Quoi? me suis-je exclamée. Mais ce n'est pas possible! »

Cher journal, tu ne voudras pas croire ce qu'elle m'a raconté. Cousine Anna n'est pas la fille de Tante Lib! Non seulement ça, mais elles ne sont même pas du même sang. Le mari de Tante Lib, Hubert Fair, était pasteur presbytérien. Maman avait peur de lui quand elle était petite. Il ne riait jamais et, d'après elle, ses sourires étaient de glace. Son frère jumeau, Humphrey, avait épousé une femme qui avait déjà une petite fille prénommée Anna.

À partir du moment où maman a dit « une petite fille prénommée Anna », son récit s'est mis à ressembler à un conte. Aussi, je n'ai pas été surprise quand elle a raconté que les parents de l'enfant sont morts lors d'une épidémie de fièvre typhoïde, la laissant orpheline.

Le mari de Tante Lib s'est rendu seul, sans elle, à Winnipeg pour les funérailles. Il a dit aux autorités de là-bas, sans en avoir parlé auparavant à Tante Lib, que lui et sa femme voulaient adopter la belle-fille de son frère. Puis il est revenu chez lui avec la petite fille de trois ans. Tante Lib, qui ne s'était jamais très bien accordée avec les enfants, s'est retrouvée avec une petite fille choyée par des parents qui n'étaient plus là.

« Voici ta fille, à partir d'aujourd'hui », lui a annoncé son mari.

« Elle a dû être tellement heureuse d'avoir enfin un bébé », ai-je dit, tout excitée de la tournure que prenait cette histoire.

Le sourire de maman s'est transformé en grimace, et elle a dit d'un ton plus sec.

« Non, Victoria. Anna n'était plus un beau petit bébé. Elle avait presque quatre ans, et Tante Lib s'est retrouvée avec elle sur les bras sans que ni l'une ni l'autre ait pu dire un mot dans tout ça. Et rappelle-toi qu'Oncle Hubert n'était que l'oncle par alliance d'Anna. Elle le connaissait à peine. Et il exigeait qu'elle leur dise "papa" et "maman" quand elle s'adressait à eux. »

« Elle a dû être en colère… et se sentir perdue, aussi », ai-je dit, d'un ton hésitant.

Je n'arrivais pas à trouver un mot qui aurait pu décrire ce qu'elle avait dû ressentir. Effrayée, abandonnée, seule au monde.

Maman a hoché la tête, en signe d'approbation. « Chaque fois qu'elle m'agace, j'essaie de penser à ce qu'elles ont eu à vivre toutes les deux. Tante Lib trouvait qu'Anna était mal élevée et elle a décidé d'y remédier dès le lendemain. La pauvre petite Anna aurait pu s'en plaindre à son oncle, mais c'était un homme très occupé qui croyait que l'éducation des enfants était l'affaire des femmes. Anna était assez grande pour comprendre que personne ne voulait vraiment d'elle. »

« Oh, pauvre Cousine Anna », ai-je murmuré.

« En effet. Puis quand elle a eu douze ans, Oncle Hubert est mort. Dans son testament, il a demandé qu'Anna soit élevée comme si elle avait été sa propre fille. Toutes les deux devaient donc continuer à vivre ensemble, sans aucun moyen d'échapper à ce destin. »

J'ai demandé pourquoi Cousine Anna n'était pas partie, une fois devenue grande.

Maman a dit qu'elle ne le pouvait pas. Comme Cousine Anna était de santé fragile, elle n'était pas allée à l'école.

« Alors qui lui a enseigné? » ai-je voulu savoir.

Maman a dit qu'Oncle Hubert lui avait montré à lire et à compter. Il pensait qu'une fille n'avait pas besoin d'en apprendre plus. Tante Lib lui avait montré ce que toute bonne ménagère devait savoir, comme faire le pain, repriser les chaussettes et jouer des cantiques sur l'harmonium de l'église.

« Ils ont fait comme si elle allait se marier. Mais ça ne s'est pas produit. Le seul endroit où elle aurait pu rencontrer un jeune homme était à l'église, alors que sa mère la surveillait constamment de son regard d'aigle. Elle n'a aucune fortune personnelle. Elle gagne sa pension en faisant les courses, en préparant les repas, en écoutant Tante Lib se plaindre et critiquer, et en faisant toutes sortes de choses pour l'église. »

« Je m'arrangerais pour m'enfuir », ai-je dit.

« Il faut du courage pour cela, Victoria. Pour trouver de

quoi manger et où dormir. En tout cas… Il est temps d'aller au lit. »

Je me suis levée et je suis restée là, sans bouger. J'avais du mal à croire l'histoire que venait de me raconter maman. Tante Lib N'EST PAS la mère de Cousine Anna et, en plus, Cousine Anna n'est pas vraiment ma parente.

« Sainte Bénite à bretelles! » ai-je murmuré.

« Victoria Joséphine Cope, surveille ton langage », m'a dit maman d'une voix sévère, mais avec un sourire au coin des yeux.

Elle a eu du mal à se relever, après avoir été assise si longtemps. Je l'ai aidée à se remettre debout.

« N'oublie pas que l'histoire que je viens de te raconter est un secret entre toi et moi, m'a-t-elle dit tandis que je me dirigeais vers la porte. J'ai pensé que de le savoir t'aiderait à passer au travers des prochaines semaines. »

Alors, cher journal, que penses-tu de tout ça?

Presque dix heures, dans mon lit

Ronchon vient juste d'essayer son petit jeu habituel : bondir de dessous l'édredon pour venir me lécher le nez. Quelle peste! Je fais déjà assez de pâtés par ma propre faute, je n'ai vraiment pas besoin d'en faire d'autres à cause de lui qui frétille et qui bondit sur ma plume. Mais quand j'aurai fermé les yeux et qu'il va penser que je suis déjà endormie, il va se calmer, comme d'habitude.

Je voudrais tant raconter à Mary Anna et à Tom l'histoire de Tante Lib et de Cousine Anna. Si seulement maman ne m'avait pas fait promettre!

Très tard

J'étais presque endormie quand Mary Anna s'est mise à rêver tout haut. Elle s'était couchée bien avant moi. Au début, elle ne faisait que marmonner, mais finalement, elle s'est mise à prononcer des noms très clairement. Elle disait des choses comme : « J'arrive, Jasper! » ou « Où es-tu? Émilie Rose est tellement lourde. J'arrive. »

Elle semblait tellement affolée que je me suis levée pour aller la secouer par les épaules. Quand je l'ai vue bouche bée et les yeux grands ouverts de frayeur, j'étais sûre qu'elle ne me reconnaissait pas. Elle avait l'air terrifiée. Je lui ai expliqué qu'elle avait rêvé tout haut. Puis je lui ai redemandé qui était Jasper. J'ai voulu le faire avec délicatesse, mais la question m'est sortie de la bouche comme un boulet de canon.

Mary Anna s'est immobilisée comme une statue en m'entendant. Elle ne m'a rien répondu et elle s'est retournée dans son lit, le visage face au mur.

Quand j'ai été certaine qu'elle s'était rendormie, j'ai pensé à toi, cher journal. Ronchon a ronchonné de se faire déranger, mais j'ai fait semblant de rien. J'avais besoin de me soulager le cœur en écrivant. Et maintenant que j'ai tout raconté, je me sens encore un peu triste.

Et TRÈS fatiguée.

Mercredi 2 juin, dans mon lit

Ce soir, rien ne semble valoir la peine d'être mis par écrit.

Au souper, nous avons eu du foie et des pruneaux cuits. Je me suis mordu la langue, et ça fait encore très mal. Est-ce que

Louisa May Alcott a des journées comme celle-là? Si oui, est-ce que ça fait d'elle un meilleur écrivain?

Je pensais que Tante Lib et Cousine Anna allaient être plus gentilles, maintenant que je connais leur histoire. Pas du tout! Tante Lib m'a renvoyée me laver les mains, alors qu'elles étaient parfaitement propres. Cousine Anna a frissonné quand j'ai ri. Comme si mon rire avait écorché ses délicates oreilles!

J'espère que la journée de demain sera plus agréable.

Jeudi 3 juin

J'aime beaucoup Roberta Jones. Elle est avec moi, à l'école, depuis le début de l'année, mais c'est seulement maintenant que j'apprends à la connaître. Tu vas me comprendre, cher journal, quand je t'aurai raconté ce qu'elle a fait pour Mary Anna, ce matin.

Monsieur Grigson les a fait venir au tableau toutes les deux. Je voyais bien que Mary Anna était nerveuse. Le professeur nous fait peur. Tom dit que c'est à cause de ses gros sourcils noirs en broussaille, qui rendent son regard menaçant encore plus effrayant. Et il grogne, en plus.

Il aime bien corriger les garçons avec une lanière de cuir. Il en a même frappé Tom une fois, alors que Tom est toujours très poli envers lui et qu'il est bon élève. Il ne frappe pas les filles, mais je crois que c'est parce qu'il nous méprise.

Seuls les garçons ont de l'importance.

En tout cas, Roberta a vu que Mary Anna avait fait deux erreurs et, tandis que monsieur Grigson avait le dos tourné, elle les a indiquées à Mary Anna. Elle l'a fait tellement vite que je pense que je suis la seule à l'avoir vue. Quand le maître s'est retourné pour voir ce qu'elle avait écrit, il a dit ceci :

« Eh bien, mademoiselle, je vois que vous êtes un cran au-dessus de la plupart des gens de votre espèce. La plupart des orphelins que nous ont envoyés ces charitables Britanniques étaient des arriérés mentaux. Mais ceci est acceptable. »

J'avais envie de crier quelque chose, mais quoi? Il devient furieux devant ce qu'il appelle « de l'insubordination ». J'ai ouvert la bouche, mais pas un mot n'en est sorti.

Mais Tom a parlé, lui.

« Mary Anna n'est pas une arriérée mentale, a-t-il dit poliment. Elle a de la jugeote et elle est mieux élevée que bien d'autres personnes présentes dans cette classe. »

« Taisez-vous, jeune homme. Encore une seule remarque de ce goût et je sortirai ma lanière de cuir », a dit monsieur Grigson dans une belle colère.

Tom n'a plus rien dit. De toute façon, ce n'était plus nécessaire. Je suis fière de l'avoir comme frère. Mary Anna a rougi un peu, et ses yeux brillaient de reconnaissance quand elle a regardé Tom.

Quand nous sommes sortis pour la récréation de l'après-midi, j'ai cherché Roberta et je lui ai demandé si elle voulait sauter à la corde. Mary Anna n'est pas venue jouer avec nous, mais je l'ai vue remuer les lèvres tandis que nous chantions notre comptine. Quand nous avons cessé de sauter, j'ai tiré Mary Anna par la manche jusqu'à l'endroit où se trouvait Roberta et j'ai demandé à Roberta si elle voulait faire le chemin du retour avec nous. Tom rentre avec les garçons de son âge.

« D'accord, a dit Roberta. Mais je ne pourrai pas rester pour jouer dehors, ensuite. Ma petite sœur Hannah n'a que trois ans et elle a été malade dernièrement. Maman a tellement d'ouvrage que j'essaie de m'occuper d'Hannah à sa place. Elle n'est pas très forte, mais c'est un vrai petit diable. Hier, elle a trouvé le moyen de verser toute la boîte d'empois de maman dans la cuve à lessive, et tous les mouchoirs de papa sont maintenant raides comme des planches de bois. Il ne pourra jamais se moucher avec ça! Vous comprenez maintenant pourquoi il faut la surveiller. »

« Elle a l'air d'être… », ai-je commencé à dire.

« Je le sais, a répondu Roberta en m'interrompant. Mais nous avons bien cru que nous allions la perdre, l'hiver dernier, quand elle a eu la pneumonie. C'était affreux! Comme si le soleil avait cessé de briller. »

« J'ai une petite sœur, moi aussi, a soudainement dit Mary Anna. Je sais comment tu as pu te sentir. »

J'ai fait attention de ne pas laisser voir combien j'étais intéressée.

Roberta lui a demandé le nom de sa sœur. Comme si Mary Anna n'avait pas été une orpheline.

« Victoria le connaît, a-t-elle répondu d'un ton dur. Elle s'appelle Émilie Rose Wilson. Et mon frère, c'est Jasper Jacob. Victoria l'a vu à la gare. »

J'aurais voulu lui poser encore mille questions, mais j'ai réussi à tenir ma langue. Ça n'a pas été facile. Même qu'un jour, ma bien-aimée grand-maman Sinclair m'a dit que j'avais la langue attachée par le milieu et qu'elle se faisait aller par les deux bouts.

J'espérais que Roberta continuerait à l'interroger, et c'est ce qu'elle a fait. Mais maintenant, maman est en train de monter par l'escalier de service, et je suis censée dormir déjà. Je te reviens dès que je le pourrai, cher journal.

Vendredi 4 juin, tôt le matin

Je me suis arrangée pour me réveiller assez tôt pour pouvoir continuer d'écrire. Mary Anna n'est même pas encore réveillée. Même Ronchon ronfle encore. Il va falloir que j'écrive vite. Mais c'est tellement excitant!

Hier, Roberta a posé les questions que je n'osais pas poser moi-même.

« Est-ce que ta petite sœur est en Angleterre, Mary Anna? » a-t-elle demandé avec douceur.

Mary Anna n'a pas ouvert la bouche pendant au moins une minute. Puis elle a comme éclaté. « Non, elle n'est pas en Angleterre », a-t-elle dit.

Nous l'avons regardée. Elle semblait sur le point d'exploser. Puis elle a continué de parler avec la même violence dans la voix. « Dans le train, ils ont séparé les filles des garçons, mais j'avais encore Émilie Rose avec moi et j'ai fait de mon mieux pour en prendre soin. Quand nous sommes arrivées à Hazelbrae, à Peterborough, ils me l'ont enlevée pour la mettre avec les autres bébés. Nous étions là depuis seulement deux jours quand ils l'ont donnée à un homme et une femme qui n'avaient pas d'enfant. »

« Oh, Mary Anna! » s'est écriée Roberta d'un ton de compassion.

Oh, je voudrais tant continuer d'écrire, mais Mary Anna

vient de sortir de sous ses couvertures, Ronchon est réveillé et il court tout partout, et maman nous appelle.

Après l'école

Mary Anna nous a raconté que, quand sa mère les avait emmenés chez le docteur Barnardo, elle leur avait dit qu'elle ne voulait pas qu'ils soient adoptés par des étrangers. Elle était certaine de pouvoir se trouver du travail et, ensuite, de revenir les chercher. Un ami de son papa les avait un peu aidés.

« Mais les gens de Hazelbrae m'ont dit que maman n'était jamais revenue, a dit Mary Anna, le visage froid comme de la pierre. Ils ont dit qu'elle aurait certainement souhaité qu'Émilie Rose soit adoptée par des gens qui pourraient l'élever dans un foyer respectable. Une dame m'a dit d'oublier ma mère. »

« Comme si c'était possible! » s'est exclamée Roberta.

Ils n'ont pas voulu dire à Mary Anna le nom et l'adresse des gens qui avaient pris sa sœur.

Au moment où elle nous racontait ça, la cloche a sonné et nous avons dû rentrer. Je me sentais comme étourdie par cette histoire et j'avais du mal à me concentrer sur la grammaire et la géographie.

De retour à la maison, maman avait un paquet de choses à faire faire à Mary Anna. Presque tous les jours, madame Dougal part de chez nous à cinq heures. Nous prenons le souper dans la salle à manger. Elle a de la chance, Mary Anna, de manger dans la cuisine avec, pour seule compagnie, Ronchon et Moïse.

Oh non! Maman m'appelle déjà.

Dix minutes plus tard

Ce n'était pas pour le souper. Maman voulait seulement me demander si j'avais vu le pile-patates. Pourquoi moi?

En tout cas. Quand je suis revenue de l'école, je me suis arrangée pour traverser la cuisine sans me faire attraper au passage, parce que j'avais trop hâte d'écrire dans tes pages, cher journal. Mais maman m'a lancé un regard qui signifiait que je devais m'asseoir et passer quelques minutes avec Tante Lib et Cousine Anna. Tante Lib n'arrête jamais de critiquer et Cousine Anna me fait subir toutes sortes de petites mesquineries. Et elle a encore d'autres défauts. Par exemple, elle attend que je sois rendue au milieu de l'escalier pour me demander de revenir fermer la porte.

J'essaie alors de me souvenir de la petite orpheline nommée Anna, mais on dirait qu'elle n'a pas existé.

Et là, avant même que je me sois mise à raconter le plus important, maman m'appelle pour que je descende mettre la table pour le souper. Aaaaah!

Dans mon lit

Nous venions tout juste de finir de souper quand Roberta a frappé à la porte d'en arrière. Elle avait l'air tout excitée. Elle m'a fait sortir pour me raconter que son oncle avait pris un orphelin. Elle ne sait pas son nom, alors ça pourrait être Jasper!

Les Johns ont appris la nouvelle aujourd'hui seulement. L'oncle de Roberta va se rendre au marché demain matin, accompagné du garçon.

« Je vais revenir tout de suite après le déjeuner, a-t-elle dit. Votre maison est sur mon chemin. »

« Peut-être que, si je lui en parle, maman laissera Mary Anna venir avec nous », lui ai-je dit. J'avais du mal à tenir en place. Ce serait tellement bien si son oncle avait Jasper chez lui. Roberta est aussi excitée que moi.

J'avais hâte d'annoncer la nouvelle à Mary Anna. Je suis rentrée en courant, mais je me suis fait attraper par Cousine Anna qui voulait me faire tenir un écheveau. J'ai essayé de m'échapper, mais maman m'a regardée d'un air de reproche, et je n'ai pas pu.

Cousine Anna est une grosse balourde. Quand je tiens un écheveau pour maman, elle me parle. Elle me raconte des histoires ou elle récite des poèmes qu'elle a appris quand elle était jeune. Cousine Anna reste écrasée sur sa chaise sans rien dire ou, quand elle parle, c'est pour me faire la morale pour que je devienne une bonne fille. Moi, quand je reste assise à ne rien faire, j'ai l'impression que je vais me mettre à moisir sur place.

Finalement, j'ai été libérée de cette corvée. Je me suis précipitée à l'étage. Mary Anna, qui a un rhume de cerveau, j'en suis sûre, était en train de passer sa robe de nuit. Normalement je me serais retournée pour la laisser terminer, mais j'étais incapable d'attendre plus longtemps. Quand elle a entendu la nouvelle, elle était aussi excitée que moi.

« Je ne pense pas que je pourrai me libérer », a-t-elle dit.

Ses yeux semblaient immenses et ils brillaient comme des lampes de cocher, mais elle ne s'est pas mise à sauter et à hurler de joie comme je l'avais fait. Elle a dit qu'elle aurait des tâches à faire puisque le samedi, madame Dougal ne vient pas. J'ai dit à Mary Anna que maman ne l'obligerait pas à les faire quand elle apprendrait toute l'histoire.

Mary Anna a tendu la main vers moi, comme si elle avait voulu me fermer la bouche.

« Tu ne dois pas lui en parler, m'a-t-elle suppliée. À l'orphelinat, ils nous ont dit d'oublier notre famille et de ne montrer aucune nostalgie. Ils ont dit que nous ne ferions que nous attirer des ennuis si nous nous mettions à nous plaindre. »

« Ce docteur Barnardo me semble affreux... », ai-je commencé à dire.

« Non, PAS DU TOUT, a rétorqué Mary Anna. C'est un monsieur très bien. Il connaît chacun de nous par son nom et il se soucie vraiment de notre sort. Ce sont les gens qui travaillent pour lui... »

Je n'y comprends rien, mais ils ont visiblement réussi à convaincre Mary Anna. Je crois que c'est bête de sa part, mais finalement, j'ai promis de ne rien dire.

Ce sera dur de m'endormir, ce soir, en sachant que je vais peut-être rencontre Jasper demain. Il faudra que je convainque l'oncle de Roberta de l'amener à la maison pour qu'il revoie sa sœur. Je ne lui dirai pas ceci. Je préfère lui réserver la surprise et si, en fin de compte, ce n'est pas Jasper, elle ne se retrouvera pas le cœur en mille morceaux.

Plus tard

Mary Anna s'est enfin endormie. J'ai rangé mon journal et j'ai essayé de m'endormir, mais le sommeil ne venait pas. Personne n'a le droit d'emmener un enfant loin de sa famille. Je ne comprends pas comment la mère de Mary Anna a pu faire pour les laisser partir si loin. Elle l'a probablement fait avec l'intention de les aider, mais c'est très cruel pour Mary Anna. Je dois en savoir plus et je vais faire tout mon possible pour qu'elle se sente ici comme chez elle.

Elle a l'air terriblement fatiguée, étendue sur son lit pliant. Je me demande comment je me sentirais si je partais pour l'Angleterre en tant qu'orpheline canadienne. Je n'arrive pas à l'imaginer, malgré tous mes efforts.

Samedi 5 juin, tôt le matin

J'écris ces lignes en attendant Roberta. Maman dit que Mary Anna ne peut pas venir au marché avec moi. Si elle ne s'était pas enrhumée, maman aurait probablement accepté. Mais elle dit qu'il vaut mieux pour Mary Anna de rester tranquille à la maison aujourd'hui.

Roberta va arriver d'une minute à l'autre. Je dois filer.

L'après-midi

Le garçon n'était pas Jasper. Mais c'était un des autres garçons aperçus à la gare. Il se rappelait nous avoir vus, papa et moi. Jasper et lui étaient ensemble au foyer du docteur Barnardo, à Toronto. Il croit que c'est une dame qui a emmené Jasper, même si elle a dit qu'il était trop jeune.

Mais c'est tout ce qu'il a pu nous en dire. Il ne savait pas son nom ni d'où elle venait. L'oncle de Roberta était reparti avec lui avant que la dame et Jasper s'en aillent.

Puis l'oncle de Roberta a demandé au garçon de venir l'aider. Il y a tellement de monde au marché, et ça grouille d'activité. Ce n'était vraiment pas le temps de flâner. Il y avait une femme avec des chatons à donner. Maman ne veut pas en entendre parler, mais c'était difficile de passer sans s'arrêter.

J'ai été vraiment surprise de constater que, malgré mes préoccupations, je pouvais me mettre à saliver en passant devant une table couverte de pains encore chauds. Je me sentais capable d'en engloutir tout un gros d'un seul coup. Puis Roberta, qui était dans le même état que moi, a demandé à son oncle quelques sous, et nous avons acheté deux grosses brioches à la cannelle, pleines de raisins secs. C'était sûrement aussi bon que ce que mangent les anges dans le Ciel – si c'est vrai qu'ils mangent.

Les premières fraises étaient arrivées et elles embaumaient aussi. On en reçoit toujours tout plein de la ferme de grand-maman Cope.

Cher journal, ne le dis à personne. J'ai volé deux fraises. Le casseau était rempli plus qu'à ras bord. Même Roberta ne s'en est pas aperçue. On aurait dit que toutes les saveurs de l'été avaient été emprisonnées dans ces deux petits fruits gros comme le pouce. Dieu ne m'en voudra pas.

Mais je me sentais inquiète quand nous nous sommes mises en route vers chez Roberta. Je ne pouvais pas faire autrement. Sa petite sœur Hannah est venue nous accueillir en courant à toutes jambes, et ça m'a remise de bonne humeur. Elle est drôle et mignonne, mais elle est si frêle et elle a la peau tellement pâle, presque bleu pâle. C'est son cœur qui est malade. Et, évidemment, on ne peut pas opérer un cœur. Roberta n'en parle pas, mais je crois qu'ils craignent à tout moment de la perdre. Elle a l'air tellement fragile et elle s'essouffle dès qu'elle se met à courir un peu. Je la vois rarement, car elle reste souvent à la maison quand c'est le temps d'aller à l'église. Monsieur Johns, Roberta et son frère Lou y vont, mais Hannah tombe malade pour un rien, et sa mère doit alors rester avec elle à la maison.

Profitant d'un moment où Hannah ne nous écoutait pas, Roberta m'a chuchoté à l'oreille que sa mère était inquiète parce qu'Hannah avait donné un nom à chacune des chaises de la maison. Par exemple, la grande chaise rembourrée s'appelle ma tante May et la petite chaise berçante d'enfant s'appelle bébé Lili. Je crois que c'est merveilleux, mais madame Johns craint qu'Hannah ne soit aussi malade de la tête.

Je crois qu'Hannah a simplement beaucoup d'imagination. Tante Lib la traiterait probablement de menteuse. Elle deviendra peut-être écrivain, elle aussi.

J'ai dû partir pour revenir dîner à la maison. J'ai dit à Roberta combien je redoutais d'annoncer à Mary Anna que Jasper était peut-être parti avec une dame qui le trouvait trop petit. Roberta a dit que je devrais juste lui dire que je m'étais trompée et qu'il n'y avait pas de garçon… J'ai hoché la tête, mais je savais bien au fond de mon cœur que je ne serais pas capable de mentir à Mary Anna. Elle a déjà tellement souffert. Si elle apprenait que je lui ai menti, elle ne me le pardonnerait peut-être jamais de toute sa vie.

Quand je suis entrée dans la cuisine, ses yeux se sont tout de suite tournés vers moi. Je n'ai fait que secouer la tête. Elle avait l'air encore plus malade.

Au souper, j'étais tellement de mauvaise humeur que j'ai traité Tom de crétin. Maman m'a grondée, évidemment. Puis Tante Lib a dit qu'elle avait le sentiment que maman maudirait bientôt le jour où elle m'avait laissée côtoyer une enfant des taudis de Londres. Mais ce n'est pas Mary Anna qui traite les gens de crétins, c'est papa. J'allais le lui dire quand j'ai vu les yeux moqueurs de maman.

« Ce sont des retardés mentaux, a continué Tante Lib. Il n'y a qu'à voir la couleur de ses yeux. »

Elle a dit ça juste au moment où Mary Anna apportait le grand bol de ragoût de bœuf. Maman lui a fait signe de se taire, mais Mary Anna avait entendu, comme de raison. Cousine Anna a plissé le nez comme si elle venait de sentir quelque chose de vraiment dégoûtant. J'ai beau me répéter qu'elle a eu la vie dure, ce n'est pas facile de compatir avec quelqu'un qui ressemble tellement à une sorcière.

« Les yeux de Mary sont du même vert magnifique que ceux de Cousine Margaret, a dit maman d'une voix douce. Je les ai toujours trouvés très beaux. »

« Quelles bêtises! » a dit Tante Lib d'un ton indigné.

Mais Mary Anna est repartie vers la cuisine avec un grand sourire.

Après dix heures!

Je viens juste d'entendre sonner l'heure. J'espère que maman ne montera pas voir ce que je suis en train de faire. Elle avait l'habitude de venir me border, mais plus maintenant que je partage ma chambre. J'attendais que Mary Anna s'endorme, et ça y est. Elle n'essaie jamais de regarder ce que je suis en train d'écrire, mais je trouve ça impoli, d'écrire des choses personnelles à son sujet alors qu'elle ne dort pas encore. Et j'ai beaucoup à dire aujourd'hui, cher journal.

Quand nous nous sommes retrouvées seules ensemble, ce soir, je lui ai raconté tout ce qui était arrivé et je lui ai dit combien j'étais désolée. Elle m'a regardée d'un drôle d'air, avec ses yeux verts, ronds comme des billes. Puis elle m'a dit une chose étonnante.

« Victoria, Mary Anna n'est pas mon vrai nom. »

« Quoi? » me suis-je exclamée.

Je l'avais bien entendue dire que son nom était Mary Anna Wilson.

« Ce n'est pas un nom composé. Ça s'écrit en un seul mot : Marianna. Ma mère m'a donné ce nom à cause d'une fille qui s'appelle comme ça, dans un poème. »

Je lui ai demandé comment on l'appelle dans sa famille. Elle m'a regardée quelques secondes de son air moqueur, et je me suis sentie rougir. Elle n'a aucune famille ici, personne pour l'appeler par son nom. J'ai ouvert la bouche pour lui dire combien j'étais désolée.

« Marianna ou Moineau », a-t-elle dit.

Mes yeux sont devenus ronds comme des soucoupes, tellement j'étais étonnée.

« C'est le nom que me donnait mon père quand j'étais petite. Jasper, il l'appelait Bout-de-chou. Émilie Rose n'était pas née quand il est mort. Alors il n'a pas pu lui donner de surnom. »

Ça m'a coupé le sifflet. À partir de maintenant, comment devrais-je l'appeler? Je pense qu'il ne faut pas l'appeler Moineau, à moins qu'elle m'en donne la permission. Je dois m'arrêter d'écrire.

Ça fait drôle d'écrire Marianna. Je pense que j'ai déjà

entendu réciter ce poème. Je crois que c'est la fille au cœur brisé, qui attend sans fin l'homme qu'elle aime, mais en vain. Je vais vérifier demain. Il me semble que c'est dans l'anthologie littéraire de Palsgrave.

Quand nous avons arrêté de bavarder, Marianna m'a tourné le dos, et je pouvais l'entendre pleurer. Elle essayait d'étouffer ses pleurs, mais j'entendais quand même. J'ai fait semblant de rien parce que je savais qu'elle ne voulait plus en parler et que je ne savais pas quoi dire.

Il faut qu'on retrouve Jasper, mais je me demande comment faire. Je ne pourrai jamais oublier son petit corps frêle, ses cheveux roux et ses grands yeux bleus. Mais je ne sais pas par où commencer.

Je me sens honteuse, mais, en même temps, je ne veux pas me sentir coupable à longueur de journée. Ce n'est pas ma faute si nous ne savons pas où il a été emmené.

Dimanche 6 juin, tôt le matin

Je me suis levée tôt. Même Marianna dort encore à poings fermés. Ronchon n'a pas levé le nez, lui non plus. Mais je veux raconter ce qui est arrivé avec le ragoût parce que c'est trop étrange.

Maman cuisine tous nos repas. Je déteste le ragoût. La seule chose que j'aime, ce sont les boulettes de pâte qu'elle met dedans. Mais hier, elle n'en avait même pas mis.

« Où sont les boulettes de pâte? » a demandé Tom.

Maman s'est assise pesamment sur sa chaise et elle avait un drôle d'air. Marianna se dirigeait vers la cuisine quand soudain, elle s'est retournée pour l'engueuler.

« Tu n'as pas rentré le bois, l'a-t-elle grondé. Tu n'as même pas levé le petit doigt pour l'aider. Elle n'est pas bien, et il fait trop chaud pour des boulettes de pâte. »

Puis elle est sortie en coup de vent.

Tante Lib avait les joues toutes rouges et les yeux noirs de colère. Elle a demandé si maman allait laisser cette moins que rien parler comme ça à son fils. Puis David a profité de l'occasion.

« Le père de Nathan dit que les orphelins sont des êtres dépravés de par leur naissance, a-t-il dit. S'ils avaient chez eux un orphelin, ils le feraient dormir dans la remise, en arrière. Sinon, il risquerait de mettre le feu à leur maison pendant la nuit. »

Maman a jeté un tel regard à David qu'il en est devenu tout rouge. Ça ne m'étonne pas. Puis elle a répondu à Tante Lib.

« Oui, je vais permettre à Mary de parler à Thomas comme elle vient de le faire, a-t-elle dit en appuyant sur ses mots. Elle a parfaitement raison. Il n'a pas fait sa part, et il fait trop chaud pour des boulettes. Quand Mary est arrivée, j'étais en train de rentrer du bois pour le poêle. Elle s'en faisait pour moi. Mes deux grands garçons étaient partis en laissant vides la boîte à bois et tous les seaux à eau. »

Cela a mis fin à la discussion. Mais j'ai vu papa regarder maman d'un air inquiet, puis foudroyer les garçons du regard. Même David a baissé la tête.

Qu'est-ce qu'elle a qui ne va pas, maman ? Pourvu que ce ne soit pas la consomption. C'est impossible, parce que les gens qui l'ont crachent du sang. Elle ne tousse pas du tout. Mais il y a quelque chose de mystérieux autour d'elle.

Plus tard

Il va y avoir un concert au carré Trafalgar, cette semaine. De la musique de fanfare et une parade. Maman a dit que nous pouvons tous y aller.

J'ai dit à Roberta, au catéchisme du dimanche, que j'avais dit la vérité à Marianna. Je lui ai dit que son vrai nom était Marianna, mais je ne lui ai pas dit que sa famille l'appelle Moineau. Elle aurait du mal à me croire. Marianna vient à l'église avec nous, mais pas au catéchisme du dimanche après-midi.

J'ai été invitée à aller chez Roberta après le catéchisme. J'espère que Marianna ne va plus me regarder de son air triste quand je vais rentrer à la maison. Je veux m'occuper de son frère, mais je suis à court d'idées. Ce n'est quand même pas ma faute.

Lundi 7 juin

Nous attendons avec impatience le concert, mais aussi un cirque qui doit passer par notre ville dans le courant du mois de juillet. Un patient de papa, par reconnaissance, a promis de lui procurer autant de billets qu'il en voudrait. Ça va être amusant!

« Quand j'étais un petit garçon, nous allions attendre le train par lequel le cirque arrivait », a dit papa.

Tom et moi, nous lui avons fait promettre de nous emmener avec lui quand le cirque arrivera.

Je racontais à Marianna que l'an dernier, j'avais pu toucher la trompe de l'éléphant. Mais elle était trop silencieuse.

« Est-ce que tu dors? » ai-je fini par lui demander.

Elle a dit que non, puis elle est restée sans rien dire un bon moment.

« À quoi ressemblait-il? a-t-elle finalement demandé. Je n'en ai jamais vu. »

Puis elle m'a dit que, quand il était petit, Jasper rêvait d'aller au cirque.

« Quel âge a-t-il maintenant? » ai-je demandé, même si j'avais un nœud dans la gorge.

« Huit ans, a-t-elle dit. Mais il a beaucoup grandi à l'orphelinat. »

Nous pourrions peut-être emmener Marianna avec nous. J'en parlerai à papa, le moment venu.

Je lui ai demandé, stupide que je suis, s'ils avaient des cirques en Angleterre.

« Il y a des cirques. Mais on n'y amène pas les enfants des orphelinats, a-t-elle dit d'un ton amer. Ni ceux des foyers du docteur Barnardo. »

Je me sentais honteuse, mais aussi un peu fâchée. Ce n'est pas moi qui l'ai mise à l'orphelinat. Elle ne vit plus dans un orphelinat ni dans un foyer du docteur Barnardo. Elle est en sécurité chez nous. Nous sommes une bonne famille. Maman va la laisser aller au cirque.

Soudain, sans raison particulière, je me suis rappelée le jour où papa m'avait demandé ce que je pensais du monde dans lequel je vivais.

« C'est un monde merveilleux », lui avais-je répondu.

Mais maintenant, je sais un peu plus de quoi je parle. Ce n'est pas si merveilleux que ça pour les orphelins. Je vais m'arrêter d'écrire et aller me coucher. Ronchon ronflote depuis des siècles. Il est grand temps que je souffle la bougie.

Pourquoi est-ce que je me sens coupable de trouver le monde merveilleux pour moi-même?

Mardi 8 juin

Je suis rentrée de l'école avec Roberta. Marianna Wilson pouvait bien rentrer toute seule, pour une fois. Roberta et moi, nous avons parlé de la famille de Marianna et combien c'était triste qu'ils soient séparés les uns des autres. Roberta avait tellement de peine pour elle qu'elle s'est mise à pleurer. Elle a dit qu'elle ne le supporterait pas, s'il arrivait une chose pareille à sa famille.

J'étais abasourdie. Il ne peut PAS nous arriver une chose pareille. Son père est tailleur de pierres. J'ai même entendu quelqu'un dire que c'était le meilleur bâtisseur de Guelph. C'est le frère aîné de Roberta qui l'a dit, mais je suis sûre que c'est vrai. Et papa est médecin. Je ne peux pas m'imaginer qu'il puisse mourir, mais si jamais ça arrivait, il y aurait mes grands-parents Cope, Oncle Pierre et tout le reste de la parenté.

Je me demande ce qui est arrivé aux autres membres de la famille de Marianna. Est-ce qu'elle a des oncles ou un grand-père?

Quand maman s'est acheté un nouveau chapeau pour Pâques, papa a dit que, si elle continuait à dépenser comme ça, nous nous retrouverions bientôt à l'asile des pauvres. Mais c'était pour la taquiner.

Pour changer le sujet de la conversation, j'ai demandé si Lou allait venir au concert du carré Trafalgar. Roberta m'a répondu qu'il ne manquait jamais un concert, si possible. N'est-ce pas formidable, cher journal?

Et ce n'est pas tout. J'ai entendu Cousine Anna dire que Tante Lib et elle songent à aller visiter quelqu'un d'autre, cet été. Maman dit qu'elles cherchent à sauver la face. Je ne sais pas ce que ça veut dire, mais si maman se trompait et qu'elles partaient cette semaine?

Comme dirait Tom, ce serait trop de chance.

La gorge me chatouille un peu. J'espère que je n'ai pas attrapé le rhume de Marianna. J'essaie de ne pas m'approcher de maman et de lui cacher que ma voix est un peu enrouée parce que je ne veux pas qu'elle me garde à la maison le jour du concert. On penserait que c'est de papa qu'il faut se méfier, car c'est lui, le médecin, mais comme dit toujours maman : « Les cordonniers sont toujours les plus mal chaussés... » Papa ne s'en aperçoit jamais quand un de ses enfants tombe malade.

Elle m'oblige à rester à la maison et, en plus, elle me fait boire de l'huile de ricin et elle m'enveloppe le cou avec des linges camphrés, et ça sent horriblement mauvais.

Il est arrivé quelque chose d'amusant ce soir. Les gros nuages chargés de pluie sont partis à la fin de l'après-midi et, juste avant que la nuit tombe, je suis allée aux toilettes dehors. Peut-être que je ne devrais pas raconter ça ici, mais c'est tellement drôle, même si je ne l'avouerai jamais à Tom. J'étais tellement plongée dans mes pensées à propos des histoires de famille que je n'ai rien remarqué d'anormal. Puis, tout à coup, il y a eu un bruit de battement d'ailes au-dessus de ma tête. J'ai regardé en l'air et j'ai vu une CHAUVE-SOURIS! Je n'ai même pas pris le temps de remonter ma culotte. Je me suis précipitée dans la cour, en criant à pleins poumons. Maman est accourue, et papa aussi. Grâce au Ciel, Tom et David étaient partis chez des amis qui habitent plus loin, dans notre rue. Maman m'a serrée dans ses bras et papa s'est arrangé pour faire sortir la chauve-souris des toilettes. J'ai dit à maman que je ne retournerais jamais dans cette toilette-là.

« Je pense que tu vas avoir des petits problèmes », s'est-elle contentée de me dire.

Je ne voulais rien dire à Marianna, mais je n'ai pas pu m'en empêcher. Elle a éclaté de rire!

Mercredi 9 juin

Monsieur Grigson nous a gardées ce soir, Roberta et moi, parce que nous nous étions passé une note. C'est l'homme le plus méchant du monde. Je me sentais honteuse, tout au long du chemin du retour et, quand je suis arrivée à la maison, je me suis installée pour lire *Rose et ses sept cousins*, mon livre de la famille March. Mais aussitôt, maman est venue me chercher pour que je l'aide à équeuter des fraises. Travailler, encore travailler et toujours travailler! C'est tout ce que les adultes ont dans la tête!

Je n'allais quand même pas lui dire que j'étais malade.

« Pourquoi Mary Anna ne peut pas le faire? » lui ai-je demandé, toujours absorbée dans mes pensées.

« Mary le fait depuis une heure. J'ai besoin de toi aussi. Nous avons encore toutes celles-là à équeuter. Tu seras bien contente, jeune fille, d'avoir des confitures cet hiver. Alors, remonte tes manches et mets-toi à l'ouvrage. »

Je me suis assise à côté de Marianna, mais elle n'a même pas tourné la tête. Elle est encore un peu enrhumée, bien sûr, et elle ne doit pas avoir envie de travailler, elle non plus. Et maintenant, elle m'en veut à cause de ce que j'ai dit. Mais les orphelines sont censées faire ces choses-là. Équeuter les fraises, ça fait partie de ce qu'elles doivent faire.

J'étais rendue à un passage tellement intéressant, dans mon livre.

Si Marianna continue de ne pas m'adresser la parole, l'atmosphère va être lourde dans notre chambre ce soir.

Dans mon lit

Je suis trop malade pour écrire dans mon journal, mais maman ne s'en est pas aperçue. Tante Lib se sent un petit peu faible, et ça l'accapare complètement. Quand nous avons fini les fraises, j'ai commencé à me sentir frissonnante. Maman qui, d'habitude, est capable de voir qu'on est malade avant même qu'on le sache soi-même, ne l'a pas remarqué. J'étais étendue ici, dans mon lit, il y a une demi-heure, certaine de ne pas être capable d'écrire mon journal ni d'aller au concert et faisant tous les efforts possibles pour ne pas tousser, quand Marianna est montée avec une mouche de moutarde à me mettre sur la poitrine.

« Est-ce que maman t'a vue? » ai-je demandé de ma voix enrouée, pensant qu'elle avait révélé mon secret.

« Bien sûr que non, a-t-elle dit, mais sans oser me regarder dans les yeux. Maintenant, repose-toi et guéris vite, sinon tu vas manquer le concert. »

Je suis restée étendue ici pendant une demi-heure, avec la poitrine comme en feu, puis j'ai enlevé l'emplâtre. Ça m'a fait pleurer des yeux et couler du nez, et la poitrine me brûle, mais je crois que je me sens un peu mieux.

Jeudi 10 juin, après l'école

Ce soir, c'est le concert de la fanfare. Il fait terriblement chaud. Cousine Anna pense que personne ne viendra peut-être.

Dans mon lit

Oh, le concert était splendide! Tout le monde était là, les Johns, et même monsieur Grigson et aussi ma maîtresse de catéchisme, mademoiselle Carter. J'ai trouvé la musique tellement entraînante. La fanfare militaire était sensationnelle.

Mais ce n'est pas ça qui était le plus excitant. Nous étions debout à écouter quand j'ai aperçu le garçon avec les boucles blondes qui était à la gare le jour où les orphelins sont arrivés. Peut-être, je dis bien peut-être, saurait-il quelque chose au sujet de Jasper. J'ai attendu que papa soit totalement absorbé par la musique et je me suis glissée à travers la foule pour aller lui parler.

« Est-ce que vous avez pris un orphelin, ce jour-là? » ai-je demandé.

Il m'a regardée sans réagir pendant quelques secondes. Puis il s'est souvenu qu'il m'avait vue et il a dit que oui.

« Comment s'appelle-t-il? » ai-je demandé.

« Harold, a-t-il répondu. Justement, il est ici. Nous ne pouvions pas le laisser seul à la maison. Il n'est jamais allé à un concert comme ça. »

J'étais tellement déçue que ce ne soit pas Jasper. J'étais gênée aussi. J'avais les joues toutes rouges et je me retenais pour ne pas pleurer. Marianna était restée chez nous et je n'avais même pas pensé à demander qu'elle vienne.

« Tu n'aurais pas vu, par hasard, ce qui est arrivé du garçon aux cheveux roux? » ai-je demandé.

« Le petit qui s'appelle Jasper? Oui, une dame l'a pris avec elle. »

Je l'avais déjà appris du garçon que l'oncle de Roberta a pris chez lui.

« Comment s'appelle cette dame? » ai-je encore demandé en sentant un peu d'espoir renaître en moi.

« Je ne m'en souviens pas », a-t-il répondu d'un air désinvolte.

Il m'a regardée, l'air surpris, comme s'il ne pouvait pas croire que je m'intéressais à tout ça. Quand il a vu que j'y tenais, il s'est penché vers Harold pour le lui demander.

« Elle s'appelle madame Jordan, a dit Harold en me regardant, l'air grave. Elle ne voulait pas le prendre parce qu'il est trop petit. Elle disait que son frère ne voudrait pas d'un garçon aussi petit. Mais Jasper avait le nom de son frère inscrit sur son étiquette, et il n'y avait personne d'autre pour l'emmener, alors elle est finalement repartie avec lui. Elle avait un nom de fleur comme prénom, quelque chose comme Violette ou je ne sais pas quoi. Jasper pleurait quand ils sont partis ensemble. »

J'avais le cœur triste et gai en même temps. Nous pourrions sûrement trouver où habitent ces Jordan.

Quand nous sommes rentrés à la maison, j'ai attendu que nous soyons revenues dans notre petite chambre à l'arrière pour parler à Marianna. Elle avait les yeux grands comme des soucoupes. Je veux dire très, très grands ouverts, parce que des yeux, ça ne ressemble quand même pas à des soucoupes.

Elle a éclaté en sanglots, puis elle m'a serrée très fort dans ses bras. Je ne savais pas quoi faire. C'était la première fois qu'elle faisait ça.

« Nous allons le retrouver, n'est-ce pas, Victoria? » a-t-elle dit en sanglotant.

« Oui, Marianna, lui ai-je promis. Croix de bois, croix de fer; si je mens, je vais en enfer. »

Je ne sais pas si nous allons y arriver, mais ça me semblait la seule chose à dire, après cette étreinte. Imagine si j'avais parlé à maman de mon rhume! Elle m'aurait gardée à la maison, et nous n'aurions jamais entendu parler de madame Jordan.

Quand nous avons été couchées dans nos lits, dans le noir, Marianna m'a parlé d'une si petite voix que je l'entendais à peine.

« Quand nous sommes toutes les deux ensemble, sans personne d'autre, tu peux m'appeler Moineau, si tu veux. Seulement quand personne d'autre ne peut entendre. »

Je suis tellement contente que j'ai envie de chanter.

Si seulement mon mal de gorge pouvait passer!

Vendredi 11 juin

Je suis trop malade pour écrire plus d'une phrase, mais maman n'a encore rien remarqué. Ça ne lui ressemble pas beaucoup.

Samedi 12 juin, le matin

Ce matin, j'ai nettoyé les verres des lampes et j'ai parlé avec Marianna. J'ai appris encore tout plein de choses. Si seulement Marianna avait les mains plus petites que les miennes, elle pourrait faire à ma place les tâches désagréables.

J'étais en train de pester contre le verre de lampe que j'avais dans les mains quand Marianna a dit qu'elle faisait ça, autrefois, en Angleterre. Puis que Jasper avait hérité de la tâche parce que ses mains étaient plus petites. Je compatis avec le pauvre Jasper. La suie empeste tellement et, quand c'est fini, pas moyen de me nettoyer les mains pour qu'elles soient assez propres au goût de maman.

Pendant ce temps-là, Marianna avait pour tâche de polir l'argenterie. Et aussi la petite théière de laiton avec sous-plat qu'un oncle missionnaire nous a rapportée des Indes. Et après, il lui fallait frotter les heurtoirs et les poignées de porte à l'extérieur.

Le souvenir de l'oncle qui a rapporté la théière m'a rappelé la question que je voulais poser à Marianna depuis longtemps. Je lui ai d'abord expliqué que la théière était un cadeau d'un parent.

« As-tu de la parenté en Angleterre? Des grands-parents, des oncles et des tantes? » lui ai-je ensuite demandé.

Les mains de Marianna se sont immobilisées dans leur travail, et elle m'a regardée un long moment sans bouger. Son regard était de glace.

« Pourquoi veux-tu savoir ça, Victoria? » a-t-elle demandé.

« Comme ça, ai-je dit d'un ton anodin. Je me demandais, c'est tout. »

Je me disais que j'aurais mieux fait de me taire, encore une fois.

« Bien sûr que j'ai des parents quelque part, a-t-elle continué. Ma mère était femme de chambre chez une grande dame. Sa famille vient de quelque part en Écosse, mais la dame l'a emmenée avec elle en Angleterre. Ils séjournaient à leur maison de campagne quand elle a rencontré mon père. »

Marianna s'est arrêtée quelques secondes, puis elle m'a raconté que son père était ouvrier agricole. Ses parents avaient très peu d'argent, et la dame les avait appuyés quand elle avait appris qu'ils voulaient se marier. Elle avait assisté à leur mariage et elle leur avait même offert cinq livres comme présent.

C'était comme un beau roman d'amour, ce que j'entendais là, et je l'ai dit à Marianna.

Mais elle a dit que leur histoire n'était pas restée romantique comme ça. Les temps étaient durs, le mari de la dame avait dû vendre sa ferme et renvoyer ses parents sans leur donner un sou. Ils étaient alors partis pour Londres, pensant qu'ils pourraient trouver du travail dans une grande ville comme ça. Et ils avaient perdu contact avec leur famille écossaise.

« Je crois que les parents de papa ne savaient pas écrire,

a-t-elle dit. Et la famille de maman considérait qu'elle s'était mariée avec quelqu'un d'un rang inférieur au sien. »

J'en ai même oublié que j'étais en train de frotter un verre de lampe, tellement l'histoire des parents de Marianna me captivait. Je restais assise là, à la fixer des yeux, impatiente d'entendre la suite.

« Ferme donc ta bouche, Victoria. Tu as l'air d'une grosse carpe », a-t-elle dit en me lançant un petit sourire moqueur.

J'avais la bouche toute grande ouverte. Je l'ai refermée, puis j'ai souri à Marianna.

« Bon, continue. Qu'est-ce qui est arrivé ensuite? » ai-je demandé.

Elle a eu pitié de moi et elle a poursuivi, mais son sourire s'est évanoui.

Son père a eu un accident sur les quais. Il en est resté estropié et il s'est mis à boire pour endormir ses souffrances. Ses parents n'avaient pas d'argent pour payer un docteur. Puis un soir, en revenant du pub, son père s'est fait attaquer par une bande de voleurs qui l'ont laissé inconscient dans le caniveau. Il est resté là sans que personne le trouve, et il est mort de ses blessures et du froid.

« C'est ça que tu voulais savoir, Victoria? » a-t-elle dit finalement.

« Je suis désolée », ai-je murmuré en saisissant un autre verre de lampe.

« Il ne faut pas, a dit Marianna lentement, les yeux rivés sur le morceau qu'elle était en train de frotter. Ça fait du bien de le raconter à quelqu'un. Quand personne ne le sait, tu te sens comme si une partie de toi n'existait pas. Ma mère a parlé de retrouver sa famille, mais elle ne l'a jamais fait. Je crois qu'elle avait trop honte. Quand nous avons dû quitter notre logement pour aller à l'asile des pauvres, elle n'arrêtait pas de dire que c'était sa faute. C'était épouvantable, là-bas, Victoria. Des gens mourant de consomption. Jamais suffisamment à manger. Le bébé qui est tombé malade. C'était tellement affreux que ma mère s'est arrangée un jour pour nous sortir de là et nous emmener directement chez le docteur Barnardo, à Stepney, dans l'est de Londres. »

Ça me rendait malade de l'entendre raconter ce qu'ils avaient dû endurer. Je lui ai demandé si sa mère avait dû retourner à l'asile des pauvres toute seule.

Marianna a secoué la tête et elle m'a expliqué que sa mère avait une amie qui avait offert de la prendre chez elle, mais toute seule. Elle avait déjà six personnes entassées dans une seule pièce et elle n'avait pas de place pour les trois enfants; mais la mère de Marianna s'est dit que, si ses enfants étaient en sécurité chez le docteur Barnardo, elle pourrait peut-être trouver du travail. Elle avait été domestique chez une grande dame, après tout.

Marianna parlait avec tant de fierté de sa mère qui avait été domestique chez une dame. Ces choses-là sont peut-être différentes en Angleterre. Moi, ici, je n'en serais pas si fière.

« Elle s'était dit que, si elle trouvait un emploi, elle écrirait à sa famille. Elle ne voulait rien leur demander, eux qui l'avaient abandonnée depuis si longtemps. »

Nous avions toutes les deux cessé de frotter. Elle fixait la grande louche de maman et elle essayait de ne pas pleurer, je crois. Elle avait été profondément révoltée, mais sa colère s'était éteinte, comme la flamme d'un bout de chandelle qui finit noyée dans la cire. J'étais perplexe. Mais j'y ai repensé, par la suite, et je suppose que ce n'est pas possible de rester en colère pendant de longues années, à moins que d'autres événements malheureux ne viennent raviver la colère.

Ce dernier bout de phrase sonne vraiment comme si un écrivain l'avait écrit. Cela voudrait-il dire que j'en suis vraiment un?

« C'est épouvantable, Moineau », ai-je dit d'une voix douce, en essuyant mes propres larmes et en me barbouillant le visage de suie, par la même occasion.

« Je l'ai vue encore une dernière fois, a-t-elle chuchoté. Ma mère. Elle s'est présentée à la grille du foyer du docteur Barnardo et elle regardait entre les barreaux, dans l'espoir d'apercevoir un de nous, je suppose. Je l'ai dit à une femme qui travaillait là-bas, et elle m'a dit que ce n'était que mon imagination. Si j'avais pu trouver le docteur Barnardo lui-même, je suis sûre qu'il m'aurait laissée aller la voir. Mais cette femme m'a donné une course à faire, puis elle est partie. Nous avons été envoyés au Canada trois semaines plus tard. »

À ce moment-là, Moïse s'est précipitée dans la cuisine, Ronchon à ses trousses. J'ai bondi pour aller les séparer, avant que Moïse attaque mon chiot et lui donne un coup de griffes sur le nez. Quand je suis revenue m'asseoir, ce n'était plus le temps de bavarder. Marianna est sortie astiquer les heurtoirs. Moi, je suis vite montée ici pour tout mettre par écrit dans mon journal avant d'oublier des détails. Comme si ça se pouvait que j'oublie!

Dans mon lit

Dix minutes après que j'ai eu fini d'écrire et que je suis redescendue, maman m'a appelée. Elle était tout énervée.

« Victoria, Victoria! Dépêche-toi et va chercher ton père. Vite! »

Je me suis précipitée à la porte du bureau de papa et j'ai frappé.

« Papa, maman te demande de venir tout de suite! » ai-je crié.

Il y est allé à la vitesse de l'éclair. Nous étions tous les deux au bas de l'escalier et maman était toujours penchée sur la rampe de l'étage. Elle avait l'air morte de peur.

« Oh, Alastair, Dieu merci tu es à la maison, a-t-elle dit. Tante Lib a perdu connaissance, je crois. Nous l'avons trouvée couchée par terre, à côté de son placard. Elle geint, mais nous ne comprenons pas ce qu'elle dit. Monte voir, vite! »

Papa était déjà en train de monter les escaliers quatre à quatre, et je le suivais. Je savais que j'allais me faire renvoyer si j'entrais dans la chambre, alors je suis restée à rôder devant la porte, les oreilles toutes grandes ouvertes.

« Elle a eu une crise d'apoplexie, une attaque, a dit papa. Elle ne peut pas parler. Regarde sa bouche et toute sa figure qui semblent tirées vers le bas, de ce côté. Voyons si elle est encore capable de me serrer la main. Pouvez-vous me serrer les doigts, Tante Lib? »

J'ai entendu quelque chose. C'était plus près d'un gémissement que d'un mot, mais je crois qu'elle essayait de dire « non ». C'était horrible à entendre, presque pas humain.

« Et cette main-là? Bon, ça c'est mieux, n'est-ce pas?

Maintenant, il faut vous reposer un peu. Je sais que ça fait très peur, mais Anna est là, à vos côtés. Lilias, viens sur le palier avec moi un moment. »

Je me suis retirée sur la pointe des pieds et je me suis cachée derrière la bibliothèque du couloir, en retenant ma respiration. Comme tu le sais, cher journal, je me fais toujours gronder parce que j'écoute aux portes. Mais il fallait que je sache.

En sortant de la chambre avec maman, papa parlait plus calmement. Il disait qu'il ne fallait pas déplacer Tante Lib, qu'elle était paralysée d'un côté. Et aussi qu'elle ne serait plus capable de parler, ni de manger sans qu'on l'aide, ni de marcher.

« Je peux demander à Graham de venir l'examiner, si Anna le souhaite, mais il n'y a aucun doute sur ce qui vient de lui arriver. »

« Pauvre Tante Lib », a dit maman, la gorge serrée.

« Je crois que c'est le commencement de la fin, a ajouté papa. Après tout, elle a quatre-vingts ans. »

Maman a soupiré et elle a dit que Tante Lib allait détester ça, de se voir dépendante des autres. Elle lui a aussi dit de ne pas déranger le docteur Graham parce que, de toute façon, il passe par la maison à peu près tous les jours, ces temps-ci.

« Nous ne pouvons pas la guérir, mais elle aura besoin de soins, a dit papa. Tu ne peux pas le faire, Lilias, dans ton état. Penses-tu qu'Anna pourrait s'en occuper? »

J'ai tendu le cou pour voir et j'ai justement aperçu Cousine Anna qui sortait de la chambre, les joues ruisselantes de larmes et les lèvres secouées par les sanglots. Elle était AFFREUSE à voir!

« Elle ne peut pas, a dit maman. Elle n'y connaît rien et elle n'est pas forte. »

« Tu n'es pas infirmière, toi non plus, Lilias, a-t-il dit. Cousine Anna pourrait sûrement… »

« Non, l'a interrompu Cousine Anna en pleurnichant comme un bébé. Mes nerfs ne le supporteraient pas. »

Papa l'a regardée d'un air dégoûté. Pour vrai, cher journal, c'était vraiment ça. Puis il a dit à maman de ne pas essayer de l'aider en la soulevant. Il a dit que le docteur Graham l'avait mis en charge de l'empêcher de trop en faire, dans son état.

« Il croit, à tort, que tu m'écoutes », a-t-il dit pour terminer.

Quand il a été parti et que maman est redescendue, j'ai pris mon courage à deux mains et je lui ai demandé ce que papa voulait dire par « dans ton état ».

« Victoria Joséphine Cope, arrête d'écouter aux portes. Un de ces jours, tu vas entendre quelque chose que tu vas regretter d'avoir entendu, m'a-t-elle lancé en guise de réponse. Maintenant, mets-toi à l'ouvrage et débarrasse-moi la table du déjeuner, puis va aider Mary à changer les lits. »

« Tu ne sais vraiment pas ce qui se passe, Victoria? » m'a demandé Marianna, tandis que nous replacions le drap de dessous sur le lit de Tom.

« Non », ai-je répondu, désolée d'avoir à l'admettre, mais impatiente de savoir enfin la vérité.

« Ta mère prend du volume », a-t-elle expliqué.

Je ne comprenais pas du tout de quoi elle voulait parler. Ça devait se voir sur mon visage.

« Elle va avoir un bébé, voyons! Je me demande vraiment comment tu fais pour ne pas t'en rendre compte. Elle est inquiète parce qu'elle en a déjà perdu deux après ta naissance. »

Je ne l'ai pas crue. Et je ne la crois toujours pas. Les bébés, ça ne vient pas comme ça. Mais elle dit qu'elle devrait le savoir parce qu'elle était auprès de sa mère quand Émilie Rose est née. J'étais tellement fâchée que j'ai hurlé.

« Pourquoi maman te l'aurait dit, et pas à moi? »

« C'est moi qui me suis aperçue qu'elle était repartie pour la famille, a dit Marianna l'air calme, tout en faisant comme si elle enlevait des plis dans le drap déjà bien tendu sur le lit de Tom. Je lui ai demandé pour quand elle attendait le bébé et pourquoi le docteur s'inquiétait pour elle. Elle m'a répondu que le bébé arriverait au début de septembre et que le docteur était inquiet à cause des deux autres qu'elle a perdus. Mais les autres fois, les fausses couches étaient arrivées très tôt. Alors ils espèrent que tout continuera de bien se passer. »

Alors, je me suis précipitée hors de la chambre. Je ne voulais plus parler de ça. Mais depuis, je n'arrête pas d'examiner maman sous toutes les coutures, en essayant de voir si Marianna a dit vrai. Je peux voir qu'elle est pâle et fatiguée, en ce moment. Ses yeux sont moins clairs, et elle a des cernes, presque bleus. Ses joues semblent plus creuses, mais son corps a l'air d'avoir épaissi. Marianna dit que c'est un bébé. Qu'il est dans son ventre. Pourquoi elle ne m'a rien dit? Pourquoi les parents ne parlent-ils pas de ces choses-là à leurs propres filles?

Alors là, j'ai décidé d'apporter deux grosses brassées de bois dans la maison et d'aller remplir un seau d'eau à la pompe, dehors, sans que personne me l'ait demandé. Je n'ai même pas claironné : « Et ce n'est même pas ma tâche! » C'est vrai que ça n'aurait servi à rien parce que les garçons sont partis à la pêche et qu'ils n'auraient pas pu m'entendre. Mais apporter du bois et de l'eau, c'est censé être une tâche pour les garçons.

Maman m'a remerciée d'un sourire et m'a tiré les tresses gentiment.

« Quelle petite fille attentionnée », a-t-elle dit, l'air d'avoir l'esprit ailleurs.

Le docteur Graham est arrivé à ce moment-là et, après avoir vu maman et Tante Lib, il a pris des arrangements pour faire venir une infirmière. Elle s'appelle madame Thirsk, et personne ne l'aime, même si personne n'ose le dire tout haut. Je crois qu'elle va être très autoritaire. Elle sourit tout le temps, mais ses yeux restent froids comme de la glace. Je peux même affirmer que maman ne l'aime pas non plus. Elle est toujours d'une extrême politesse avec les gens qu'elle ne supporte pas. Madame Thirsk veut tout régenter dans la maison. J'en arrive même à souhaiter que Tante Lib ne soit pas tombée malade, car elle saurait bien, elle, comment lui rabattre le caquet, à cette madame T.

Je ne peux plus écrire un seul mot. J'ai des crampes dans la main. Et je dois me garder du temps pour réfléchir. Je n'arrête pas de repenser à ce que Marianna m'a dit. Tout ce qui est arrivé à sa famille me rend malade, et puis il y a Tante Lib qui fait maintenant d'horribles bruits, et aussi maman qui va avoir un bébé. Ça doit faire très bizarre. Avec tous ces événements, je me sens tout étourdie.

Dimanche 13 juin

Je me suis réveillée ce matin en pensant que ce n'était qu'un jour comme les autres, puis je me suis rappelé la journée d'hier. Je me suis enfoui la tête sous mon oreiller pour essayer de me cacher, mais je n'ai pas tenu le coup. Souhaite-moi bonne chance, cher journal.

Plus tard

Ce dimanche a été comme tous les autres dimanches : très occupé, mais pas très intéressant. Mon oncle Pierre s'est arrêté pour une petite visite, dans l'après-midi, et il a demandé à rester pour la nuit. Maman l'a regardé et elle lui a poliment expliqué que tous ses lits étaient occupés. Et que Tante Lib avait eu une attaque la veille et qu'il serait plus à son aise à l'hôtel.

« Ne t'en fais pas pour le lit, Lilias, a-t-il répondu en souriant. Ton canapé fera très bien l'affaire. »

Alors maintenant, il est là sur le canapé, et David dort sur un tapis, par terre. C'est bizarre, tout ce qu'on peut obtenir quand on est un adulte. Il s'est d'abord fait répondre « non » et il a réussi à obtenir un « oui » sans problèmes.

Lundi 14 juin

Aucune idée ne m'est venue, hier soir, pour essayer de retrouver Jasper. Avant de partir pour l'école, Marianna et moi, nous étions tellement occupées à donner à manger à tout le monde en essayant de ne pas nous marcher sur les pieds que nous n'avons pas eu le temps d'échanger un seul mot. Je dois avouer que ça faisait un peu mon affaire. Je n'avais rien préparé à dire de gentil et de réconfortant.

Oncle Pierre est parti tout de suite après le déjeuner, ce qui était un soulagement. Il mange comme deux. Et, évidemment, comme c'est un homme, ce n'est pas lui qui doit éplucher les patates ou essuyer la vaisselle.

Au déjeuner, maman était tellement fatiguée qu'elle l'a grondé pour s'être servi de la confiture avec son couteau plutôt qu'avec la cuillère de service.

« Mais qu'est-ce que ça fait, avec mon couteau? » a-t-il demandé.

« Tu mets des miettes de pain pleines de beurre dans le pot et... », a-t-elle commencé à dire, avant d'éclater en sanglots et de s'enfuir dans sa chambre.

« Mais qu'est-ce qu'elle a? » avons-nous tous demandé.

« Elle va avoir un bébé, a répondu papa. Et ça la rend susceptible. »

J'étais furieuse contre Oncle Pierre. J'ai pris le pot de confiture dans mes mains.

« Regarde, lui ai-je dit. Regarde les miettes de pain et les traces de beurre. »

Il ne pouvait pas faire semblant de ne pas les voir. Il n'avait même pas pris la peine d'essuyer son couteau sur le bord de son assiette. Mon propre oncle se conduit comme un malotru.

« Ça suffit, Victoria », a dit papa.

Mais j'ai vu comme un éclat dans ses yeux. Il était content que j'aie pris le parti de maman, même si je l'ai fait d'une manière un peu brusque.

Et maintenant, il n'y a plus à en douter. Marianna m'avait révélé l'incroyable vérité. Je vais bientôt être une grande sœur.

J'ai voulu montrer à maman que j'étais au courant de tout. Quand elle est revenue, je lui ai demandé si elle savait quand le bébé arriverait et, en haussant les épaules, elle m'a répondu qu'elle pensait que ce serait pour le début de septembre.

« C'est Dieu qui décide », m'a-t-elle dit.

À l'école, tout ce que nous faisons en ce moment, c'est de préparer la séance de fin d'année. C'est-à-dire que c'est presque tout ce que nous faisons. Monsieur Grigson ne veut pas me laisser réciter *La charge de la brigade légère*. Il dit que c'est un poème qui a été composé pour être récité par des hommes et que c'est Burt Snodgrass qui va le dire. Il m'a dit que ce n'était pas grave.

« En voici un autre pour vous, Victoria », a-t-il dit en me tendant son livre.

Je n'en croyais pas mes yeux : *Sois gentille, petite fille, et laisse l'intelligence aux autres…*

« J'aime autant réciter l'histoire du petit garçon qui est mort et de ses jouets qui sont tristes », ai-je hurlé.

« Bon, vous n'avez qu'à choisir vous-même, mademoiselle. Mais attention, la séance est dans deux semaines seulement. »

J'ai décidé de me trouver quelque chose, mais de ne rien lui dire jusqu'à la dernière minute; comme ça, il ne pourra pas me faire changer encore. Je veux le surprendre, aussi. Je crois que j'ai fait mon choix, mais je ne l'écrirai pas, pour ne pas risquer qu'il en entende parler.

Tom dit qu'il ne va rien réciter, mais il a accepté de jouer *God Save the Queen* sur son harmonica.

Après l'école, nous sommes allés à un goûter champêtre organisé par notre église. Il faisait affreusement chaud. J'aurais bien aimé ne pas avoir à être habillée si chaudement et pouvoir enlever mes chaussures. Nana Dryden et moi avons quand même gagné la course à trois pattes chez les filles.

Nous nous étions exercées avant, alors c'était plus facile pour nous. Les garçons qui ont gagné ne nous arrivaient pas à la cheville, mais ils ne voudront jamais se mesurer à nous, évidemment.

Puis j'ai obligé Roberta à participer à la course de brouettes avec moi. Je la poussais, et la stupide brouette n'arrêtait pas de basculer de côté et finalement, nous riions tellement que je n'arrivais pas à la garder de niveau et que j'ai fini par faire tomber Roberta par terre. Pas besoin de te dire, cher journal, que Roberta Johns et Victoria Cope n'ont pas remporté cette course!

Mais Roberta a gagné la course de sacs de patates. Je l'aurais peut-être gagnée si je n'avais pas été prise de fou rire. Quand on rit, on va moins vite.

Marianna est restée à la maison pour aider maman à s'occuper de Tante Lib. Je me sentais coupable de sortir sans elle. Elle n'est jamais allée à un goûter champêtre organisé par une église. Je l'ai dit à papa, et il m'a regardée d'un drôle d'air.

« L'année prochaine, on verra à ce qu'elle y assiste, elle aussi », a-t-il dit.

Tom a trop mangé de crème glacée, et j'ai cru qu'il allait être malade. C'était TELLEMENT bon!

Après le goûter, papa a emmené Cousine Anna au concert de musique religieuse, à l'église de Knox. Elle était sûre que personne n'y assisterait et que ce serait un désastre. Mais plus de 600 personnes y sont allées!

Monsieur Kelly a joué une de mes chansons préférées à la mandoline. J'aurais tant aimé l'entendre!

Mardi 15 juin

Rien à raconter. Rien de réglé nulle part. J'ai dit à Marianna que nous allons nous concentrer sur le cas de Jasper dès que l'école sera terminée. C'est sûr que, quand nous n'aurons plus d'école et que Tante Lib ira mieux, nous aurons un peu plus de temps à nous. Ça me rend malade, d'avoir l'impression que tout va mal.

Mercredi 16 juin

Toujours pas d'idée géniale pour retrouver Jasper. Et trop fatiguée pour écrire.

Tante Lib est toujours alitée, mais elle fait de gros efforts pour parler. Elle est difficile à comprendre et, quand on n'y arrive pas, elle se fâche.

Je suis en train d'apprendre un poème de Robert Louis Stevenson pour la séance de fin d'année. C'est tellement beau! C'est un poème d'amour. J'ai dit à monsieur Grigson que ma pièce était de Stevenson et je lui ai fait croire que je l'avais trouvée dans une anthologie poétique pour les enfants. Il s'est contenté de hocher la tête, comme si je lui avais dit que j'étais en train d'apprendre un classique comme *L'allumeur de réverbère*. J'adore ce poème, mais j'ai onze ans maintenant, et celui que j'ai trouvé est superbe!

Jeudi 17 juin

Tante Lib se remet tranquillement. Je l'ai d'ailleurs entendue essayer de crier après Cousine Anna ce matin. J'étais la seule à me trouver assez près d'elle pour entendre. Je les apercevais par la porte entrebâillée, mais aucune des deux ne m'a remarquée.

Cousine Anna l'a regardée.

« Tu n'es pas ma vraie mère, lui a-t-elle dit d'un seul souffle. Si tu continues de me gronder tout le temps, je vais partir d'ici et te quitter à la première occasion. »

Donc, un jour ou l'autre, nous allons enfin être débarrassés d'une de ces deux croix qui nous pèsent sur les épaules.

Vendredi 18 juin

J'ai raconté à maman ce que j'avais entendu. Elle dit que Cousine Anna ne partira pas pour vrai, car elle n'a pas assez d'argent.

« Je ne connais personne qui aime se priver de manger », a-t-elle dit.

Je l'ai aussi raconté à Marianna quand nous étions en haut. Je pensais qu'elle en rirait, mais non. Elle m'a juste regardée avec un de ses airs d'orpheline qui vous fait la morale.

« Tu n'as jamais souffert de la faim, Victoria », m'a-t-elle simplement répondu.

J'avais envie de la gifler. Ce n'est pas de ma faute si elle s'est retrouvée dans un orphelinat. Je me demande si elle s'est sentie comme Oliver Twist. Je voudrais bien le lui demander, mais je ne le ferai pas.

Victoria Cope, je ne me sentais PAS comme Oliver
Twist. Je me sentais comme Moineau Wilson, avec
l'estomac qui se tord de douleur à cause de la faim
qui le tenaille. Du gruau ou une tranche de pain,
ce n'est pas suffisant. Quand ils nous faisaient
chanter des cantiques pour remercier Dieu, je jurais
à voix basse. Dieu ne nous aimait pas, nous, les
Wilson. S'Il nous avait aimé, mon père ne serait
pas mort et ma mère ne nous aurait pas emmenés
au foyer du docteur Barnardo. Et tu n'aurais pas
eu à vivre avec une orpheline qui te fait la morale.

Mercredi 23 juin

Au moment où j'écris ces mots, nous sommes le 23 juin.
Mon journal avait disparu depuis la dernière fois que j'avais
écrit dedans. Je l'ai cherché tout partout. Finalement, ce soir,
Marianna l'a retiré de dessous son matelas et elle me l'a
redonné. Ses mains tremblaient. Elle avait lu ce que j'avais
écrit à son sujet la semaine dernière et elle n'était pas
contente.

« Tu es méchante comme une guêpe, m'a-t-elle dit. Une
guêpe en quête de confiture, mais qui ne trouve que du
vinaigre. »

Toujours est-il qu'elle avait écrit dans mon journal ce
qu'elle aurait eu envie de me crier par la tête. Puis elle s'était
arrêtée pour réfléchir. Les guêpes affolées sont reconnues pour
faire des erreurs regrettables. Puis, quand elle s'était calmée un
peu et qu'elle avait vu ce qu'elle venait de faire, elle avait
décidé de cacher mon journal. Et, dans les jours qui avaient

suivi, elle avait même fait semblant de m'aider à le chercher.

Mais nous sommes devenues de très bonnes amies, et elle n'a pas pu tenir le coup très longtemps. Alors, ce soir, elle me l'a redonné et elle m'a tout avoué. Je te tenais dans mes mains, cher journal, et je ne l'ai même pas regardée. J'ai lu ce qu'elle avait écrit et je lui ai aussitôt dit que j'étais désolée, en même temps qu'elle me disait la même chose. Nous avons ri et pleuré toutes les deux ensemble. Elle a dit qu'elle n'écrirait jamais plus dans tes pages. Elle n'a pas dit qu'elle ne lirait jamais plus ce que j'écris, mais je sais qu'elle ne le fera pas, à moins que je lui en donne la permission.

Nous ne sommes pas si différentes l'une de l'autre.

Ça me manquait tellement d'écrire dans mon journal, durant les jours où je t'avais perdu. Alors j'ai écrit un certain nombre de choses sur des feuilles. Je vais les recopier dans tes pages comme si je les avais écrites directement, cher journal. Je n'ai rien écrit le premier jour, mais j'ai commencé le dimanche du soixantième anniversaire du règne de la reine.

Dimanche 20 juin, avant-veille de la célébration des soixante ans de règne de la reine

Je vais écrire ces lignes sur un bout de papier, car je ne retrouve plus mon journal. J'espère que maman ne le trouvera pas avant moi.

Je pourrai recopier ensuite.

Aujourd'hui, c'était la veille des célébrations pour la reine. Nous avons chanté le *God Save the Queen* au COMPLET.

Nous avions un prédicateur invité, qui s'appelait monsieur Guthrie. Papa a aimé ce qu'il a dit. Maman ne va plus à l'église.

Un dimanche, avant son attaque, Tante Lib a dit que ce n'était pas convenable pour maman d'aller se pavaner devant toute la communauté, dans l'état où elle était. Maman s'est raidie, mais c'est papa qui a répondu.

« Ne la faites pas fâcher, Tante Lib, sinon elle va finir par donner naissance à son bébé sur le banc d'église. »

Tante Lib est devenue violette, elle s'est relevée, elle a attrapé Cousine Anna par le bras et elle a quitté la pièce, tellement elle était vexée.

Quand elle a été hors de portée de voix, nous avons tous éclaté de rire. Même David riait.

« Je parie que Cousine Anna croit encore que ce sont les cigognes qui apportent les bébés », a-t-il dit moqueusement.

Je ne lui ai pas dit que plusieurs de mes copines de classe croient aux cigognes. Nellie dit que les bébés arrivent dans la trousse du docteur. Les jumelles Phillpot affirment que c'est un ange qui vient les déposer dans les bras de la maman. Ce n'est pas leur faute. Il vaudrait mieux dire la vérité aux enfants.

Je ne l'avouerai à personne d'autre qu'à toi, cher journal, mais je croyais que c'était le docteur qui apportait les bébés. Le facteur apporte le courrier dans son grand sac. Alors, pourquoi les docteurs ne feraient-ils pas la même chose avec les bébés?

Mais Marianna m'a tout expliqué et elle m'a fait promettre de ne jamais rien en dire aux deux garçons.

Après la messe, il y avait une parade, et Tom y participait.

Mardi 22 juin, anniversaire
des soixante ans de règne de la reine

Hier, il n'est rien arrivé qui méritait d'être raconté. Nous avons travaillé toute la journée, et c'est tout. Aujourd'hui, c'était le jour du soixantième anniversaire de règne de la reine Victoria.

Nous sommes allés voir les feux d'artifice. C'était grandiose. Pour une fois, Marianna a pu venir et je n'ai pas eu à me sentir coupable de la savoir à la maison.

« C'est aussi la reine de Mary », a dit maman en souriant à Marianna d'une façon qui m'a rendue jalouse et contente tout à la fois.

Plus qu'une semaine avant la séance de fin d'année de l'école. Je suis prête. Tout le monde va être drôlement surpris.

Mercredi 23 juin

Maintenant que j'ai retrouvé mon journal, je peux enfin écrire les choses au fur et à mesure qu'elles arrivent. Quel soulagement! Je détestais ça, écrire sur des feuilles, et je sais très bien que je les aurais perdues si je ne les avais pas recopiées dans tes pages, cher journal.

La célébration des soixante ans de règne de la reine est un événement grandiose, mais ça fait faire des folies à certains. Un homme a eu la stupidité de se mettre un pétard dans la bouche et de l'allumer, pour tenir un pari. Il s'est brûlé la moustache et les sourcils, et aussi la moitié des cheveux. Papa a trouvé ça dans le journal et il l'a lu à haute voix à Tante Lib.

« Je vais le dire à votre place, Tante Lib, lui a-t-il dit en souriant. Il y a un imbécile qui naît toutes les minutes. »

« Et que penses-tu de : Il n'y a pas pire imbécile qu'un vieil imbécile? » a dit Tom, les yeux brillants de malice.

Tante Lib a reniflé. Mais je voyais bien qu'elle était contente. Elle n'a pas ri fort, bien sûr, mais je crois qu'à l'intérieur d'elle-même, c'était tout comme.

Elle est loin d'être redevenue comme avant. On dirait qu'elle est plus petite et plus faible, et plus du tout féroce.

Je suis trop occupée à pratiquer ma pièce de poésie et je n'ai plus le temps d'écrire.

Vendredi 25 juin

Je suis montée me mettre au lit, ce soir, et j'ai trouvé Marianna endormie avec ma vieille poupée dans les bras. Elle avait l'air tellement fatiguée! J'étais assise au bord de mon lit à la regarder, quand elle s'est réveillée et qu'elle m'a vue. Elle a éclaté en sanglots.

« Excuse-moi, Victoria, a-t-elle dit à travers ses pleurs, en sautant aussitôt sur ses pieds pour remettre la poupée sur sa tablette. Je ne lui ai fait aucun mal. Je suis désolée. Je sais que je n'aurais pas dû… »

« Arrête, Marianna. Ce n'est pas grave », ai-je dit.

Mais j'étais perplexe. Maintenant que j'ai onze ans, je ne joue plus avec Charlotte. Et Marianna en a douze.

« Je n'ai jamais eu de poupée à moi, a-t-elle murmuré. Mon père m'en a sculptée une dans un morceau de bois quand j'étais petite, mais elle n'avait pas l'air très humaine. Maman n'avait pas les moyens de m'en acheter une. Mais j'ai toujours voulu en avoir une exactement comme la tienne. Je voulais juste la tenir dans mes bras une petite minute. Je ne voulais pas m'endormir avec elle. »

« Tu peux la prendre aussi souvent que tu le veux », lui ai-je répondu.

Je me sentais la gorge serrée et je n'arrivais pas à la regarder droit dans les yeux. J'espère qu'elle prendra encore Charlotte dans ses bras, mais quelque chose me dit qu'elle ne le fera plus jamais. Je me demande ce qu'elle dirait si je lui donnais pour toujours une autre de mes poupées. J'en ai quatre. Cinq en comptant ma vieille poupée de chiffon qui a le visage tout déchiré.

Je ne peux pas faire ça. Pas parce que ça me dérange, mais elle a douze ans. Je suis sûre qu'elle va refuser et que nous allons nous retrouver toutes les deux gênées.

Mercredi 30 juin

Ce soir, c'était la séance de l'école, et je les ai bien étonnés. Marianna aussi. C'était merveilleux.

« La prochaine récitation sera dite par Victoria Cope, si elle est prête? » a dit monsieur Grigson.

« Je suis prête », ai-je répondu en m'avançant.

J'avais les genoux qui flageolaient. J'ai ravalé ma salive, puis j'ai ouvert la bouche et je me suis lancée. Le poème a pour titre *Romance* et il est de Robert Louis Stevenson.

Je voudrais tant que la vie des amoureux soit telle que la décrit Stevenson. J'essaie d'imaginer comment ce serait d'avoir un époux comme Robert Louis Stevenson, qui m'écrirait de si beaux poèmes!

Je jetais des coups d'œil du côté de papa, pendant que je

récitais. J'ai vu son sourire. Il a recopié ce poème l'an dernier, pour le donner à maman, le jour de la Saint-Valentin. Il aimait ce texte certainement beaucoup plus que celui du petit garçon mort et de ses jouets. Monsieur Grigson avait le visage tout rouge, comme s'il craignait que papa pense que c'était lui qui avait choisi ce poème pour ma récitation. Il se serait senti mieux s'il avait su combien papa aime tout ce qu'écrit Robert Louis Stevenson. Moi, je savais que ça allait lui faire plaisir.

Quand je me suis rassise à ma place, les surprises n'étaient pas finies.

Vers la fin de la séance, monsieur Grigson a appelé Marianna. J'étais étonnée, parce qu'elle n'avait dit à personne qu'elle participerait. Elle était là, debout, me regardant droit dans les yeux. Puis elle m'a fait un clin d'œil et elle a commencé :

Sois gentille, petite fille, et laisse l'intelligence aux autres.
Sois généreuse dans tes actes, et pas seulement dans tes rêves,
Et tu parviendras à faire de la vie, de la mort et de l'éternité
Une belle grande symphonie…

J'étais morte de rire, mais j'ai quand même réussi à étouffer mes hoquets. Elle a failli avoir une panne de mémoire, une fois, mais elle a réussi à continuer sans aucune autre erreur. Elle sait à quel point je déteste ce texte trop mielleux.

Quelques personnes se sont abstenues de l'applaudir. David est resté assis, immobile, l'air d'un gros nuage d'orage prêt à éclater. J'avais envie de lui donner un coup de pied. Mais tous ceux qui applaudissaient le faisaient tellement fort que ça compensait pour les autres.

Juillet

Finis les livres, finis les crayons.
Finis les regards de Grigson, le grognon.

Nous avons dansé la farandole pour sortir de l'école. Tom a lancé ses livres et il a dû ensuite grimper dans l'aubépine, pour aller les récupérer. Il a dit que le plaisir de voir ses livres voler dans les airs valait bien quelques égratignures. J'ai remarqué qu'il n'a pas lancé ceux qu'il aime vraiment. Papa nous dit, depuis que nous sommes tout petits, que les livres sont comme des amis et que nous devons les aimer comme si c'étaient de vraies personnes. Mais je suis sûre qu'il ne voulait pas parler du livre d'arithmétique.

Nous nous en allons au lac Puslinch avec les Johns. J'en ai les orteils qui frétillent, tellement j'ai hâte. Je dois quand même garder mes chaussures quand il y a des étrangers ou des patients de papa qui pourraient me voir, mais le reste du temps, et c'est beaucoup de temps, je peux aller pieds nus.

David s'en va aider grand-papa Cope à la ferme. Il ne me manquera pas. Je crois que Tom et Marianna vont être contents aussi.

Tante Lib m'a surprise à dire à David « espèce d'imbécile », et elle m'a dit que j'irais en enfer, à dire des choses pareilles. Alors, ici, je dis que mon frère n'est pas un imbécile, mais plutôt un niaiseux, un épais, un crétin.

Vendredi 2 juillet, au début de l'après-midi

Ça y est! Nous avons enfin appris quelque chose au sujet de madame Jordan. Nous étions tous assis bien tranquilles quand Cousine Anna nous a annoncé qu'elle allait rendre visite à une vieille amie d'enfance, Pansy Jordan.

J'avais une grosse bouchée de gâteau roulé à la confiture dans la bouche et j'ai failli m'étouffer, avant de tout recracher. Marianna a laissé tomber son couteau à pain et elle est devenue blanche comme un linge. Tout le monde a sursauté au bruit, mais je suis la seule à avoir remarqué que Marianna était devenue blême. Elle s'est penchée pour ramasser le couteau et, quand elle s'est relevée, ses joues avaient repris un peu de couleur, mais pas beaucoup. Nous nous sommes regardées, elle et moi. Puis je me suis retournée vers Cousine Anna.

« Tu ne m'as jamais dit que tu connaissais quelqu'un qui s'appelait Pansy Jordan », lui ai-je dit abruptement.

Maman m'a regardée, l'air de se demander si j'avais perdu la tête.

« Pour l'amour du Ciel, Victoria, pourquoi l'aurait-elle fait? » m'a-t-elle dit.

Puis elle a demandé à Cousine Anna où habite son amie. Cousine Anna a répondu que c'était dans une ferme juste au sud de Fergus, qui est à une bonne distance d'ici. Elle a dit que c'était une amie du catéchisme du dimanche. Son mari, monsieur Jordan, est mort il y a deux ou trois ans et, quelque temps après, elle est partie vivre chez son frère Carl.

« Je lui ai écrit pour lui demander si elle aimerait que j'aille lui rendre visite, a dit Cousine Anna. Je devrais recevoir une réponse très vite. »

« C'est merveilleux », a dit maman en lui souriant.

Cousine Anna lui a souri en retour, mais elle avait l'air troublée. Elle parlait d'une voix aiguë et surexcitée, pas comme d'habitude.

« Je n'ai jamais aimé Carl, mais je suppose que son caractère s'est radouci depuis notre enfance. Enfin, je l'espère. Sinon, Pansy est bien à plaindre. C'était un petit garçon cruel. Nous nous arrangions toujours pour l'éviter. »

Elle avait les joues toutes rouges et les yeux brillants, comme s'ils avaient jeté des étincelles. Je ne l'ai jamais entendue parler aussi longtemps.

Tante Lib va maintenant assez bien pour s'asseoir à table, bien calée avec des coussins. Elle ne parle pas encore distinctement, et madame Thirsk doit encore s'en occuper très souvent. À vrai dire, elle ne fait que marmonner et, à partir des quelques mots que nous réussissons à comprendre, nous devons reconstruire ses phrases. Maman et Cousine Anna doivent la nourrir à la petite cuillère.

Madame Thirsk préfère manger en haut. Elle descend pour remplir son plateau de tout ce qu'elle peut trouver de bon à manger, puis elle se sauve pour aller dévorer son repas en paix.

Le moment de surprise passé, je me suis retournée vers Tante Lib pour essayer de deviner ce qu'elle pensait de cette Pansy Jordan, mais elle avait l'air fâchée et elle ne semblait pas avoir entendu ce que Cousine Anna venait d'annoncer. Elle déteste tellement ça, de nous voir la regarder en train de se faire nourrir comme un bébé, qu'elle prend toujours cet air fermé, dans ces moments-là.

J'ai essayé de trouver un moyen de demander quel était le

nom de famille du frère de Pansy, mais je ne voyais pas quelle excuse je pourrais inventer. C'était une question vraiment TROP bizarre. Pourquoi vouloir savoir ça, se demanderaient les autres. Encore une fois, j'aurais voulu tout raconter à maman dès que j'aurais été seule avec elle, mais je ne pouvais pas à cause de la promesse faite à Marianna.

Cette stupide promesse!

Dans mon lit

Je pensais que nous étions coincées. J'aurais dû réfléchir un peu plus.

Marianna Wilson, elle-même en personne, a trouvé le tour de savoir son nom. C'était brillant de sa part. Tout de suite après le souper, elle a dit qu'elle avait une course à faire au plus vite au bureau de poste et elle a demandé si elle pouvait y déposer la lettre que Cousine Anna avait écrite à son amie. Qu'elle le ferait avec plaisir.

Cousine Anna a alors fait un vrai sourire à notre orpheline. Je crois que c'était la première fois.

« Comme c'est gentil! » a-t-elle dit.

Ça ne lui a pris que quelques minutes à glisser sa lettre dans une enveloppe, mais nous trépignions d'impatience jusqu'à ce qu'enfin, elle tende l'enveloppe à Marianna. Elle était adressée à madame Georges Jordan, aux soins de monsieur Carl Stone, Poste restante, Fergus, Province de l'Ontario.

Nous étions tout excitées. Marianna est partie avec la lettre sans terminer la vaisselle. J'ai fini de l'essuyer, pour que maman ne s'aperçoive de rien.

Moineau s'est endormie. Elle a aidé à faire des confitures toute la journée et elle était morte de fatigue. Mais moi, je n'arrive pas à dormir. Comment allons-nous faire pour retrouver madame Jordan? Et comment allons-nous savoir si c'est la bonne personne? Pansy, c'est le nom d'une fleur (on l'appelle « pensée » en français), mais il y a tant de femmes qui portent des noms de fleur, comme madame Dalrymple, qui s'appelle Violette, ou comme Peggy, qui avait Rose comme deuxième prénom.

Je vais prier. Maman croit que la prière a un pouvoir immense. Moi, je crois que Dieu est trop occupé avec les naissances et les morts pour prendre le temps de s'occuper de mes petits problèmes. Mais maman dit qu'il peut faire les deux à la fois. Je ne comprends pas comment il peut y arriver, mais il faut que je fasse tout de suite quelque chose pour Marianna.

Samedi 3 juillet

Rien de nouveau ni d'intéressant à raconter. Trop chaud, trop fatiguée, trop de tâches. Voilà mon histoire du jour. Quand je pense que j'avais tellement hâte aux grandes vacances! Au lieu de me laisser me reposer après une dure année d'école, maman ne cesse pas d'allonger la liste des choses à faire. À la ferme, David doit se la couler douce, comparé à ici! Parmi toutes ces tâches, il y en a que maman faisait elle-même, d'habitude. J'ai découvert que je déteste profondément tout ce qui est lavage et nettoyage, depuis les fenêtres jusqu'au poêlon ayant servi à faire cuire les œufs.

Dimanche 4 juillet

L'église, encore et toujours l'église, du matin jusqu'au soir.

Pas encore de réponse de madame Jordan, bien sûr. Mais sa lettre arrivera certainement demain ou mardi. Tante Lib fait des efforts pour parler plus, mais elle n'est toujours pas plus gentille. Quand Cousine Anna a parlé de son amie, Tante Lib a ENFIN réussi à dire un mot complet : « Peu… reuse ».

Est-ce qu'elle voulait parler de madame Jordan ou de Cousine Anna? De toute façon, c'était méchant. Puis elle s'est mise à tousser, et il a fallu la TRANSPORTER jusqu'à son lit.

Marianna et moi, nous parlons tout le temps de retrouver Jasper. L'été, c'est fait pour jouer. Et c'est vrai, sauf qu'il vaut mieux le faire hors de la vue des adultes, sinon il y aura toujours quelqu'un pour vous donner une tâche à faire. J'en ai plus qu'assez de me faire dire que, quand on tient les enfants occupés à rendre service, ils ne font pas de bêtises. J'avais envie de le dire à maman, mais je n'ai pas osé. Elle a l'air vraiment fatiguée.

Oh, j'espère tellement que madame Jordan va répondre!

Nous avons eu de la tarte aux fraises et à la rhubarbe pour le dessert. C'est tellement bon!

« J'en veux encore, a dit papa. Tu as vraiment le tour de faire la pâte bien légère, Lilias. »

« Merci, a répondu maman. Mais c'est Mary qu'il faut complimenter. C'est elle qui a fait la tarte. »

David passait la journée à la maison. Il a baissé les yeux sur ce qui restait de sa part, comme si la tarte avait été empoisonnée. Mais il l'a quand même finie et il en a redemandé.

Mercredi 7 juillet

Je sais que maman veut que j'écrive dans ce cahier tous les jours, mais je n'y arrive pas. En ce moment, je dois donner à manger aux poules et arracher les mauvaises herbes dans le jardin. Lundi, j'ai fait une grosse erreur en arrachant de l'herbe à puces sans mettre de gants. Comment ça s'est mis à pousser dans ce coin-là, on ne le sait pas. Mais je me suis retrouvée pleine de boutons et ma main était tellement enflée que je ne pouvais plus écrire. J'avais les doigts tout boudinés comme des saucisses. Même aujourd'hui, c'est encore un peu enflé et ça pique.

À Billy Grant de terminer l'arrachage de TOUTES les mauvaises herbes, même s'il a du mal à faire ce genre de travail. Quand je l'ai dit à papa, il m'a répondu en riant que Billy Grant était trop vieux pour ça. Tom n'est pas doué non plus, mais j'ai décidé qu'il était temps qu'il apprenne. Je vais me tenir à côté de lui et je vais lui indiquer ce qui est une fleur et ce qui est une mauvaise herbe. Ça devrait marcher.

Marianna se rend au bureau de poste tous les jours, et il y a toujours des lettres, mais aucune pour Cousine Anna.

J'ai monté une tasse de thé à Tante Lib, ce soir. Elle n'était pas capable de la garder d'aplomb, et j'ai dû la lui tenir. On dirait qu'elle est devenue plus petite et pas mal moins méchante. Quand on nourrit une personne à la petite cuillère, on ne la voit plus de la même façon. On se sent un peu comme sa mère.

Vendredi 9 juillet

Cousine Anna a enfin reçu sa lettre, et c'est une véritable CATASTROPHE. Après tout ce temps à attendre, madame Pansy Jordan a répondu à Cousine Anna qu'elle ne devait pas venir la voir. Elle a essayé d'en parler à son frère, mais il lui a répondu qu'on avait besoin d'elle à la ferme, pendant l'été, et que ce n'était pas le temps d'organiser des visites.

Il dit que je ne sais rien faire, mais il refuse de me laisser partir, même pour quelques heures. Nous avons un garçon pour nous aider, mais Carl pense que c'est un bon à rien. Il n'a que huit ans et il n'est pas grand pour son âge. Avant d'arriver ici, il n'avait jamais vu une vache de près, jamais fendu du bois, jamais ramassé un œuf sous une poule, dans un poulailler. Il était terrifié par tous ces animaux. Carl est trop dur avec lui, mais, quand j'essaie d'intervenir, c'est encore pire. Nous avons tous les deux peur de mon frère. Je n'aurais jamais dû venir vivre chez lui. Je savais pourtant comment il était, et les gens ne changent jamais vraiment. Du moins, jamais pour le mieux. Heureusement qu'il ne s'est pas marié. Sa femme aurait été très malheureuse.

Puis elle arrête de parler de Jasper (si c'était bien lui) et elle demande si Cousine Anna se rend parfois au marché, car là, elles pourraient sans doute trouver le moyen de passer quelques minutes ensemble. La plupart du temps, le samedi matin, elle y est pour vendre des œufs de la ferme, du pain de ménage et des légumes du potager.

En général, c'est le garçon qui m'y conduit avec la charrette, dit-elle en terminant. Ça nous donne à tous deux un peu de répit. Je fais tout ce que je peux pour que Carl ne s'aperçoive pas que

nous avons vraiment hâte d'y aller. Je ne viendrai pas cette
semaine, mais je crois que le samedi suivant, nous y serons. Si tu
viens ce samedi-là, je vais faire ce que je peux pour te rencontrer.
Je ne peux rien te promettre, car parfois Carl change ses projets à
la dernière minute. Nous aurons donc peut-être quelques minutes
pour nous voir.

Je connais sa lettre par cœur parce que Cousine Anna
l'avait laissée sur la table et que Marianna l'a volée. Nous
l'avons lue et relue ensemble, puis, en cachette, nous l'avons
remise dans le sac à tricot de Cousine Anna. Elle va croire que
c'est elle qui l'avait laissée là. C'est tout plein de choses et
d'autres qu'elle y met. Elle veut aller au marché la semaine
prochaine.

Dimanche 11 juillet

David est encore venu chez nous pour faire quelques
courses pour nos grands-parents et pour venir à la messe avec
nous. Il a entendu Cousine Anna parler d'aller au marché de
Fergus samedi prochain. Il a offert de l'y conduire en cabriolet,
si papa lui en donne la permission. Il n'y a pas de place là-
dedans pour Marianna et moi, mais nous allons enfin savoir si
ce garçon est bien Jasper.

David espère être assez finfinaud pour obtenir de papa qu'il
lui permette de prendre le cabriolet, ce soir-là, pour aller
se promener avec l'élue de son cœur. C'est évident. Et il va
persuader Cousine Anna de dire à papa combien il a été
serviable avec elle.

Nous essayons de trouver le moyen d'envoyer un mot sans
avoir à donner d'explications. Si ça ne marche pas, il faudra

penser à autre chose. Mais ça devrait aller. Nous avions pensé demander à David de dire à madame Jordan de remettre elle-même le mot à Jasper, mais, sans qu'aucune de nous deux ne l'avoue, nous n'avons pas vraiment confiance en David. Il est tellement désagréable avec Marianna, toujours à la critiquer et à dire des méchancetés au sujet des orphelins. Je pensais qu'il avait changé; malheureusement, non. Un de ses amis l'asticote toujours à propos des « gens qui abritent chez eux de la marmaille de chez le docteur Barnardo », et au lieu de se fâcher contre lui, David a honte de nous.

Moi, j'ai honte de LUI. Imagine, cher journal, ce que c'est que d'avoir un frère qui accorde de l'importance à ce que pense cette espèce de cornichon zozotant qu'est Nathan Cray!

En tout cas, nous ne pouvons évidemment pas lui demander de nous aider à faire parvenir un message à Jasper. Il va falloir trouver autre chose.

Plus capable d'écrire. Ronchon dort comme une bûche, et de l'entendre ronfler me donne le goût de dormir, moi aussi.

Lundi 12 juillet, le soir

Trop fatiguée pour écrire, mais je viens de relire ce que j'ai écrit hier. Je me rappelle avoir pensé que les orphelins ne devaient pas sentir les choses de la même façon que nous. J'avais tort. Pourquoi David refuse-t-il de le comprendre?

Mercredi 14 juillet

La journée a fini par passer. Des tonnes de choses à faire, et toujours à attendre qu'arrive le jour du marché. C'est samedi qui vient. Je vais prier quand j'aurai soufflé ma bougie. Je vais même le faire à genoux, au cas où ça aiderait les choses. Il faut bien essayer.

Vendredi 16 juillet

Aujourd'hui, au beau milieu de l'été, il est tombé de la grêle à Guelph. Pas sur toute la ville, seulement aux environs de l'avenue Waterloo. Imagine, comme s'il tombait de la neige en plein été.

Ronchon a une peur bleue des orages. Je crois qu'il aimerait bien que je me cache dans le placard avec lui, mais je suis simplement restée assise dans mon lit, à le tenir dans mes bras en le flattant et en l'encourageant à être brave.

Plus qu'un jour avant de retrouver Jasper!

Samedi 17 juillet, le soir

Aujourd'hui, nous avons été amèrement déçues. J'ose à peine l'écrire ici.

Moineau s'est montrée incroyablement astucieuse. Elle a préparé un mot avec quelques fleurs pour madame Jordan. À l'endos de l'enveloppe, elle a écrit « Docteur Alastair Cope » et notre adresse, puis elle a convaincu Cousine Anna d'écrire un mot, au cas où monsieur Stone viendrait sans sa sœur. Jasper sait que Marianna est allée chez le docteur Cope, car il était là quand papa s'est présenté à la dame, à la gare. Nous espérions que Jasper s'en souviendrait et qu'il reconnaîtrait son écriture. Nous espérions aussi qu'il verrait la lettre ou que madame Jordan la lui tendrait, tout simplement.

Mais ça n'a pas marché.

David a ramené Cousine Anna très tôt à la maison. Elle avait les yeux tout rouges d'avoir pleuré. Le frère est venu à la place de madame J. Il a dit qu'elle avait trop d'ouvrage à faire pour se permettre de perdre son temps. Quand Cousine Anna a dit que quelques petites heures ne feraient pas une grosse différence, il lui a parlé d'un ton brutal et lui a dit de ne plus écrire à madame Jordan.

Marianna m'a prié de demander à David si monsieur Stone était venu avec son orphelin.

« Je n'ai pas remarqué, m'a dit David, l'air désinvolte. Il y avait un petit garçon tout maigre qui aidait à décharger la charrette. Mais je n'ai pas pris la peine de lui parler. »

Le plus surprenant, c'était la colère de David à l'égard de monsieur Stone. Il a dit qu'il s'était conduit d'une manière horrible envers Cousine Anna. Ça l'a rendu tellement furieux qu'il a dit à monsieur Stone de surveiller ses manières, et monsieur Stone l'a *frappé*. David a un gros bleu sur la joue!

Cousine Anna a crié à David de s'enlever de là. Il est remonté dans le cabriolet. Puis la brute a frappé Bess, en leur disant de retourner chez eux et d'y rester.

« Il est affreux, répétait sans cesse Cousine Anna en pleurant. Qu'est-ce que la pauvre Pansy doit supporter! Il est devenu pire que quand il était petit et déjà, tout le monde avait peur de lui. »

« Est-ce qu'il y avait un petit garçon aux cheveux roux avec lui? » lui ai-je demandé quand David a été parti.

« Je ne sais pas. Il y avait des enfants qui couraient autour… Oh Lilias, imagine la pauvre Pansy! »

« Est-ce que tu as pu savoir où son frère habite exactement? »
lui a demandé maman.

« Non, je n'ai pas réussi, a-t-elle répondu en pleurant.
J'étais bien trop bouleversée, tu dois le comprendre. »

David est revenu, une serviette humide sur la joue, comme
s'il s'agissait d'une blessure de guerre.

« Moi, je le sais, a-t-il murmuré. C'est de l'autre côté
d'Ennotville. »

C'est tout ce qu'il a dit et, quand je me suis retournée vers
lui, son visage ne montrait aucune expression. Il avait peut-
être commencé à montrer de la colère, de l'intérêt ou de
l'ennui, mais il en avait effacé toutes les traces sur son visage
avant que je puisse le surprendre. Je sais, cher journal. Ça peut
sembler fou. Mais il était probablement tellement fâché
d'avoir fait tout ce chemin pour rien qu'il n'a même pas pris la
peine de dire à Cousine Anna qu'il était maintenant capable
de lui retrouver son amie à la première occasion.

Je l'ai chassé de mon esprit, et Moineau et moi, nous nous
sommes regardées, remplies d'effroi. Nous sommes sorties pour
discuter, et là, au fond du cabriolet, le petit panier était
renversé et les fleurs s'étaient éparpillées par terre. Mais la
lettre n'était plus là.

J'ai dit à Marianna que Jasper avait peut-être réussi à
prendre l'enveloppe. Elle s'est contentée de secouer la tête, et
je n'ai pas cherché à la convaincre car, moi non plus, je n'y
crois pas vraiment. Nous sommes restées là toutes les deux, à
regarder le bouquet défait. Puis un coup de vent a emporté les
fleurs, et j'ai entraîné Marianna ailleurs.

Quand nous sommes montées nous coucher, Moineau s'est

endormie en pleurant. J'avais envie de pleurer moi aussi, mais c'était aussi à cause de Cousine Anna. Elle était tellement contente et elle avait tellement hâte quand ils sont partis. Elle est toujours aussi affreuse, comme personne d'autre, mais je ne l'avais jamais vue aussi heureuse auparavant. Et ce que maman m'a raconté à son sujet me revient souvent à l'esprit.

Papa était furieux, lui aussi. Je me demande s'il va faire quelque chose. Mais qu'est-ce qu'il pourrait faire? Nous devrions lui parler de Jasper. Mais quand il a entendu Cousine Anna lire ce qu'il y avait dans sa lettre, il s'est contenté de secouer la tête.

J'ai essayé une fois de plus de convaincre Moineau d'en parler, mais elle voulait encore moins.

« Ils nous ont prévenus, à l'orphelinat, a-t-elle dit, que les fermiers auraient la loi de leur côté, que nous devions nous montrer dociles et bien travaillants et que, comme ça, nous n'aurions pas de problèmes. D'ailleurs, qu'arrivera-t-il si je finis par parler et que ça vienne aux oreilles de cet homme? »

« Ça ne pourrait pas… », ai-je commencé à dire.

Mais elle s'est retournée contre moi et elle m'a lancé à la figure que j'étais bien naïve et que, si j'entendais certaines des histoires qu'elle avait à raconter, je changerais aussitôt d'avis. Monsieur Stone s'arrangerait probablement pour faire croire aux gens que Jasper était méchant et qu'il avait besoin de discipline. Et les gens s'en iraient en le laissant à ses souffrances.

« C'est mon frère, pas le tien, a-t-elle dit pour terminer. Tu dois faire comme je dis. »

Elle a raison sur ce point. Je pense toujours que je devrais parler. Mais elle a peut-être raison.

La vaisselle était à moitié faite quand elle a repris la parole.

« En plus, si ta mère apprend que ce garçon est mon frère, elle va en faire une maladie. »

Elle a raison, là aussi. Maman déteste la cruauté. Elle avait l'air malade quand Cousine Anna a lu ce que madame Jordan avait écrit à propos de leur orphelin.

Je me demande si le frère de Marianna croit que, chez monsieur Stone, c'est ce que les Canadiens appellent un foyer. J'espère que nous allons finir par le retrouver et que je vais pouvoir lui montrer ce que c'est, un vrai foyer.

Dimanche 18 juillet

Aujourd'hui a été la pire journée de toute ma vie. Elle avait pourtant bien commencé. À l'église, c'était comme d'habitude. Il faisait soleil, alors j'ai regardé la lumière qui brillait à travers la grande rosace du fond. Ça change les couleurs des chapeaux des dames. J'aime bien m'imaginer que je pourrais attraper un arc-en-ciel dans mes mains.

Après l'église, David est retourné chez grand-papa et grand-maman Cope. Alors ça fait au moins une chose de bien pour cette journée.

Mais au moment même où nous venions de terminer notre souper du dimanche et que Marianna et moi, nous étions en train de ramasser les assiettes du dessert, nous avons entendu frapper de grands coups à la porte du devant. Tout le monde a sursauté, même Tante Lib, qui a l'air endormie la moitié du temps, maintenant. Au son, on devinait que ce n'était pas une visite amicale. Ronchon s'est précipité dans l'entrée, en grognant comme un gros bouledogue.

Papa s'est dirigé vers la porte, puis il s'est retourné.

« Ramène le chien, Thomas, a-t-il dit d'un ton calme. Et tiens-le bien, quoi qu'il arrive. »

Tom a attrapé mon carlin au caractère batailleur, et papa est retourné répondre à la porte. Nous avions tous les oreilles grandes ouvertes.

« Oui, monsieur. En quoi puis-je vous aider? » l'avons-nous entendu dire.

« Êtes-vous monsieur Alastair Cope? » lui a-t-on demandé d'une voix dure et sans aucune politesse.

« Je suis le docteur Cope », a répondu papa froidement.

« Bien. Je m'appelle Carl Stone et je veux que vous me rendiez le jeune Jasper Wilson. »

« Pardon? » a dit papa.

Marianna et moi, nous avons laissé tomber nos assiettes sur la table, mais sans les casser, heureusement, et nous nous sommes accrochées l'une à l'autre. Je crois que je suis devenue aussi pâle qu'elle. Nous étions immobiles comme des statues.

« Vous m'avez bien entendu! » a crié l'homme.

« Effectivement, mais je ne comprends pas de quoi vous parlez. Je ne connais personne répondant au nom de Jasper, a dit papa à monsieur Stone. Et si vous voulez me parler, je vous prie de le faire d'une manière plus civilisée. »

« Je ne vous crois pas. Je suis rentré chez moi hier soir et le garçon avait disparu. Ma sœur m'a dit que votre cousine a écrit dans sa lettre quelque chose à propos d'une orpheline que vous avez chez vous, nommée Wilson. C'est la sœur du garçon, je n'en doute pas une seule seconde. Je ne sais pas son prénom, mais c'est une orpheline de chez le docteur Barnardo. Je vous soupçonne de les héberger tous les deux, mais le garçon m'appartient légalement. Je vous prie donc de me le rendre immédiatement. »

Marianna tremblait comme une feuille. C'était affreux. Nous pensions toutes les deux que papa allait lui demander de venir, mais il ne l'a pas fait.

Je ne supportais pas de rester plantée là. D'ailleurs, je voulais voir de mes propres yeux la tête de ce monstre. J'ai mis mon doigt sur mes lèvres en signe de silence et j'ai entraîné Marianna avec moi dans le salon.

En faisant attention, nous pouvions voir dans l'entrée sans que personne s'en aperçoive. Marianna m'a suivie comme une somnambule. Mais elle était encore assez consciente pour ne pas faire de bruit. Nous nous sommes accroupies derrière la bergère à oreilles qui se trouve à côté de la fenêtre d'en avant et nous avons tendu le cou pour voir.

« Votre sœur se trompe, a dit papa. Comme je ne sais rien des allées et venues de ce garçon que vous cherchez et que, par conséquent, je ne puis en rien vous aider, je vous prierais de bien vouloir quitter ma propriété. »

L'homme est resté sur ses positions pendant quelques secondes. J'avais peur qu'il frappe papa. Papa est plus grand, mais monsieur Stone avait vraiment l'air dangereux. Il avait le visage violet de colère et il soufflait comme un taureau. Finalement, il a tourné les talons et il est parti.

« Vous n'avez pas fini d'entendre parler de moi, a-t-il crié. Je vais vous poursuivre en justice. »

Puis la porte a claqué, et papa est resté devant, immobile,

à la regarder.

Je suis allée à la fenêtre et j'ai tiré un petit coin des rideaux de tulle. De l'extérieur, on ne peut pas voir à travers, dans la maison, mais de l'intérieur, on peut voir dehors.

Monsieur Stone est remonté dans sa charrette. Un cheval maigre comme je n'en ai jamais vu était attaché à notre barre. Le méchant homme avait un fouet à la main et il s'en frappait les bottes sans arrêt. Je suis sûre qu'il n'attendait que de s'en servir sur le dos de Jasper.

Papa s'est retourné et a traversé l'entrée, puis il nous a aperçues toutes les deux en train de regarder par la fenêtre. Il est venu nous parler.

« Mary, tu as entendu, a-t-il dit. Est-ce que ton frère s'appelle Jasper? »

Marianna a hoché la tête comme une marionnette. Je crois qu'elle était incapable de parler. Elle avait le regard d'une aveugle. Je ne vois pas comment mieux décrire son regard vide. Des larmes se sont mises à couler sur ses joues et elle n'a pas cherché à les essuyer avec ses mains.

« Est-ce que tu sais où il se trouve? »

« Non », a chuchoté Marianna en relevant le menton afin qu'il puisse voir son visage.

« C'est bien ce que je pensais. Si tu entends parler de lui... a-t-il dit, sans terminer sa phrase. Cet homme avait pris son fouet pour en frapper un enfant, a-t-il continué en se parlant à lui-même. Il a intérêt à ne plus s'approcher de chez moi. »

Maman avait l'air anéantie quand nous sommes arrivés dans la salle à manger. Elle avait tout entendu. Et les autres aussi, comme de raison.

« Je ne pense pas que ce garçon pourra se rendre jusqu'ici, Lilias, a dit papa gentiment. Ne t'inquiète pas. »

« Alastair, que ferais-tu si c'était Tom? » s'est-elle contentée de lui répondre.

C'est à ce moment-là que je me suis rendu compte que Jasper avait DISPARU. La réalité a du mal à se faire un chemin dans notre tête quand on est si troublé. Il s'est perdu et il n'a que huit ans.

Je ne suis plus capable d'écrire. Tout a mal été, toute la journée. Cousine Anna n'a pas cessé de se lamenter à propos de sa pauvre amie Pansy. Elle ne s'est pas inquiétée de Jasper une seule seconde. Moi, oui, à cause de Marianna, bien sûr, mais aussi parce qu'il ne s'agit pas d'une histoire qu'on m'a racontée au sujet d'un petit garçon que je ne connais pas. C'est un vrai petit garçon, que j'ai vu de mes propres yeux, à la gare. Peut-être que je ne m'en inquiéterais pas autant si je n'avais pas le souvenir de son visage gravé dans ma mémoire.

Moineau est retournée à la cuisine et elle a commencé à faire la vaisselle du souper. Je l'aidais de mon mieux. Mais tout à coup, mon méchant Ronchon a sauté sur Cousine Anna, et elle a échappé le pichet de lait. Il y avait du lait partout sur le plancher.

« Je vais nettoyer le dégât, Marianna », ai-je dit.

Mais je n'avais jamais lavé de plancher de ma vie et je n'ai fait qu'empirer les choses. Ronchon essayait de m'aider, mais il était vraiment de trop. Même Moïse s'y est mise, en léchant le plancher. Finalement, à mon grand soulagement, Moineau a éclaté de rire et elle est venue à la rescousse.

« Je pense à me chercher une place de fille de cuisine »,

ai-je dit, histoire de nous faire rire un peu.

« Il faut venir de chez le docteur Barnardo pour savoir s'y prendre », a répondu Marianna.

Quand tout a été impeccable, elle s'est sauvée dans notre chambre et je ne l'y ai pas suivie. Je savais qu'elle avait besoin de rester seule.

Maintenant, le soir tombe et un orage se prépare. Ronchon a déjà commencé à trembler et à gémir de peur. Pourvu que quelqu'un ait hébergé Jasper. Moineau dit qu'il est terrifié par les éclairs.

Le plus étrange, dans tout ça, c'est que monsieur Stone n'avait pas du tout l'air d'un malotru, sauf quand on voyait la colère dans ses yeux. Il avait l'air de quelqu'un d'ordinaire, les cheveux blonds et la barbe aussi, grosse et tout ébouriffée. Mais je sais que c'est le diable en personne. Je l'ai su rien qu'à le voir serrer les doigts sur le manche du fouet et projeter sa mâchoire vers l'avant. À sa voix, aussi. Je ne sais pas comment la décrire avec des mots.

Lundi 19 juillet, le midi

Hier soir, quand j'ai eu fini d'écrire dans mon journal, je suis descendue parler avec papa dans son bureau. Je lui ai expliqué qu'il avait déjà vu Jasper et qu'il lui avait même donné un sou pour le remercier d'avoir tenu Bess par la bride, à la gare.

« Tu veux dire que ce petit bonhomme à la tignasse rousse était le frère de Mary? » a-t-il demandé en me fixant des yeux.

Je ne le voulais pas, mais j'ai aussitôt éclaté en sanglots. D'habitude, papa déteste le « braillage », mais là, il s'est contenté de me regarder quelques secondes en me tapotant l'épaule pour me réconforter.

« Ce programme d'immigration d'enfants laisse la porte ouverte à toutes sortes d'abus, a-t-il marmonné. Ne pleure pas, mon cœur. Nous allons faire ce que nous pouvons pour aider ce garçon, s'il se montre le bout du nez. »

Je suis retournée en haut et j'ai dit à Moineau ce que je venais de faire. Je m'étais préparée à ce qu'elle me fasse des reproches, mais elle n'en a rien fait. Elle m'a simplement regardée, puis elle est retournée dans son lit et elle a fait semblant de dormir.

J'ai commencé à lui parler, mais j'étais trop fatiguée. Alors je me suis mise au lit, moi aussi. Elle devait s'être endormie pour vrai, parce que, quand je me suis mise à pleurer, elle n'a pas bougé.

J'ai découvert, au déjeuner, que mon père et Tom étaient partis avec le cabriolet, très tôt ce matin, et qu'ils avaient pris le chemin le plus court pour se rendre directement chez monsieur Stone. Ils n'ont vu personne. Ils vont y retourner avec Cousine Anna, plus tard dans la journée, quand monsieur Stone sera parti de chez lui. Ils veulent savoir si sa sœur est là et si elle a une idée de l'endroit où peut se trouver Jasper.

Marianna et moi, nous ne pouvons rien faire d'autre que de prier en attendant. Ce n'est plus à nous d'agir. Mais elle m'a serrée dans ses bras avant de descendre, alors ça va.

Plus tard

Madame Jordan n'était pas là quand ils sont retournés, et ils n'ont pas trouvé la moindre trace de Jasper. S'il s'est sauvé, alors ça fait deux jours et deux nuits qu'il est tout seul. Est-ce qu'il va réussir à nous retrouver? Est-il encore en vie? Où, mais où peut-il bien être?

Je pense sans cesse à ce cantique où il est question de ces brebis égarées dans la campagne, malades, désespérées et qui se voient déjà mortes. J'ai toujours su que c'était triste, mais c'est seulement ce soir que je comprends vraiment à quel point.

Madame Dougal faisait la lessive, comme de raison. Quelle corvée! Chaque fois que je la vois en train de brasser tout ce linge lourd et bouillant avec son grand bâton, la figure toute rouge et en sueur, je comprends pourquoi maman nous dit tout le temps de faire attention de ne pas salir nos vêtements. Ceux de Tom ont toujours besoin d'être frottés sur la planche à laver. Les garçons ne se rendent pas compte de tout le travail qu'ils donnent aux autres.

Dans l'après-midi, maman, Marianna et moi, nous sommes montées dans la chambre de Tante Lib pour libérer madame Thirsk un moment.

« Garçon… rivière », a-t-elle réussi à marmonner.

Ses mots étaient un peu mal prononcés, mais j'ai compris ce qu'elle voulait dire : que Jasper était probablement tombé dans la rivière et qu'il s'était noyé. Ou que c'était tout ce qu'il méritait.

Maintenant, je sais ce que signifie l'expression « jeter un regard plein de mépris à quelqu'un ». C'est exactement ce que maman a fait en regardant sa vieille tante malade. J'avais envie de serrer ma mère dans mes bras.

« Mauvaise graine… Un chat est un chat », a-t-elle continué.

« Ça suffit, Tante Lib. Ne parlez plus jamais de ce garçon »,
a dit maman d'un ton glacial.

Madame Thirsk est revenue juste à temps.

« Madame, je crois que vous devriez aller vous étendre un
petit peu », a dit Moineau à maman, d'une voix douce.

« C'est ce que je vais faire, Mary, lui a répondu maman en
souriant. Ne t'inquiète pas. Les gens, pour la plupart, sont
gentils. » Puis, se tournant vers madame Thirsk, elle a ajouté :
« Si vous avez besoin de moi, madame Thirsk, vous n'avez qu'à
m'appeler. »

« Ça ne devrait pas être nécessaire », lui a répondu madame
Thirsk tout en se donnant l'air de faire quelque chose.

Quand nous ne sommes pas là, je sais qu'elle sort de son sac
des journaux et des revues de mode dans lesquels elle se
plonge. Heureusement que Tante Lib dort presque tout le
temps.

Maman est sortie en s'appuyant au bras de Moineau. J'ai
ramassé Ronchon dans mes bras et je les ai suivies. J'étais
venue là pour écrire mon journal et j'avais emmené Ronchon
avec moi. Maintenant, je dois aller mettre la table pour notre
repas du soir.

Est-ce que je serais en train de devenir une sainte?

Non! C'est seulement parce que, quand je me mets à être
généreuse, je m'en fais moins. Je compte sur Dieu pour
remarquer comme je suis une bonne fille et, aussi, pour
s'occuper de Jasper.

Après le souper

J'ai eu la surprise de ma vie quand je suis descendue à la cuisine. Cousine Anna était en train de mettre la table. Moineau avait commencé à préparer le repas. Elles n'étaient pas en grande conversation, mais Marianna avait vraiment l'air avenante. D'habitude, Cousine Anna se contente de s'asseoir et de faire semblant de tricoter, tout en nous regardant travailler.

La journée tire à sa fin. Quand j'écris dans tes pages, cher journal, ça m'aide à passer le temps qui reste. Pas de nouvelles de Jasper. C'est à plus de dix milles, alors on ne peut pas s'attendre à ce qu'il arrive à l'instant. Moineau dit qu'il aura peur de monter dans la voiture d'un inconnu.

Dans mon lit

Moineau n'est plus la même. Je sais que cette attente est dure pour elle, mais il y a quelque chose de bizarre dans son comportement. Elle m'a pardonné d'avoir parlé à papa et pourtant, maintenant, elle ne me regarde plus jamais droit dans les yeux. Elle a l'air nerveuse, mais pas trop triste. Elle agit comme si elle avait un secret. Je me demande si elle n'a pas eu des nouvelles. Si elle en avait eu, elle se serait sûrement confiée à moi. À qui d'autre aurait-elle pu le faire? Je suis sa seule amie. En ce moment, elle respire profondément, comme si elle était déjà endormie, mais je crois qu'elle fait semblant. Je vais éteindre la bougie et tâcher de rester éveillée. Il se prépare quelque chose.

Mardi 20 juillet, au petit matin

J'avais vu juste! Elle savait quelque chose. J'étais sur le point de m'endormir quand ma chère amie Marianna s'est levée et est sortie de notre chambre sur la pointe des pieds. J'ai entrouvert les yeux pour l'espionner. Elle a entrebâillé la porte pour écouter. Puis elle a soupiré, elle l'a refermée et elle est retournée dans son lit. Je me suis risquée à regarder à travers mes cils et j'ai vu qu'elle était tout habillée. Je n'ai plus bougé en attendant la suite des événements.

Environ toutes les demi-heures, elle se levait pour aller écouter à la porte. Finalement, quand l'horloge grand-père a sonné la demie d'après onze heures, elle a entrouvert la porte et elle est descendue sans bruit par l'escalier de service, ses chaussures à la main.

Je me suis aussitôt levée pour aller la suivre. Grâce au Ciel, Ronchon dormait à poings fermés. Il en faut beaucoup plus pour réveiller un chiot carlin mort de fatigue.

Je l'ai suivie jusqu'en bas, puis à travers la maison jusqu'à la porte d'en arrière et, finalement, dans le jardin. Elle avait glissé un bâton dans la porte entrouverte, pour pouvoir sortir, puis rentrer sans faire de bruit. Je l'ai replacé de la même façon. Nous avons marché tout le long du sentier qui mène à l'écurie où est Bess. Mais juste au moment où Marianna posait la main sur la barre de la porte, mon pied a buté contre une pierre, qui s'est mise à rouler. Marianna s'est retournée nerveusement, puis, immobile, elle a scruté l'obscurité.

« Qui est là? » a-t-elle chuchoté.

Je lui ai répondu que ce n'était que moi, en chuchotant moi aussi.

« Jasper est là, n'est-ce pas? » ai-je dit.

Il était là. Elle venait lui porter de quoi manger et une bouteille de lait. Elle s'est précipitée sur moi et elle m'a suppliée de ne rien dire aux autres, surtout pas à papa.

« Je t'en prie, Victoria, m'a-t-elle suppliée. Tu ne dois pas le trahir. »

« Bien sûr que non », ai-je promis.

Comment a-t-elle pu penser que je pourrais faire ça? J'ai essayé de discuter avec elle pour tenter de la convaincre de me laisser aller chercher maman ou papa, mais elle n'a rien voulu entendre.

« D'accord, ai-je dit. Laisse-moi le voir. »

Quand nous nous sommes glissées dans l'écurie et qu'elle a allumé sa bougie, j'ai compris pourquoi elle était si effrayée. L'enfant miteux, tout recroquevillé dans un coin sombre, n'avait rien à voir du tout avec le petit garçon à la chevelure flamboyante de la gare. Si je n'avais pas su d'avance qui il était, je ne l'aurais jamais reconnu. Il ne lui reste plus que la peau et les os. Et il est couvert de marques de coups et de blessures!

Je ne suis pas capable d'en dire plus pour le moment. Plus tard, quand j'aurai eu le temps de réfléchir, j'essaierai. Je comprends maintenant ce que les gens veulent dire par l'expression « avoir le cœur brisé ». Le mien l'est, en mille morceaux, en pensant à Marianna et à son frère.

Jeudi 22 juillet

Je n'ai rien écrit de plus, hier. J'en étais incapable. Me revoici donc, maintenant. Je vais raconter les choses comme elles se sont passées. Je veux m'en souvenir pour toujours.

Alors, c'est important que j'écrive tous les détails.

« Jasper », a appelé Moineau doucement, en se penchant pour lui poser la main sur l'épaule.

Il a hurlé de peur, s'est dégagé de sa main et a levé son bras comme pour se protéger la figure. C'était évident qu'il s'attendait à être battu.

« Ne me frappez pas! a-t-il gémi. Ne me touchez pas! »

« C'est moi, Moineau, a-t-elle dit gentiment. Je t'ai apporté de quoi manger et une vieille courtepointe. Un oreiller, aussi. N'aie pas peur de Victoria. Elle ne dira rien. Jure-le, Victoria. »

Le garçon avait les yeux ronds comme des billes et remplis de frayeur. Ils avaient l'air beaucoup trop gros dans son petit visage blême et ils étaient tout brillants. Maman a une vieille poupée de cire qui a le visage pâle comme ça.

« Ce n'est pas bien de jurer », ai-je grommelé.

Je voyais bien qu'il avait une forte fièvre. Je connais ça, depuis l'hiver dernier, quand Tom a eu la pneumonie et que tout le monde pensait qu'il allait mourir. Ses yeux étaient exactement comme ceux de Jasper. Maman disait que ceux de Tom lui faisaient penser à des trous faits par des tisons dans une couverture.

« Jure-le », m'a-t-elle répété en me foudroyant du regard.

« Je promets de ne rien dire », ai-je dit.

Jasper tremblait. Il a saisi la bouteille de lait que Moineau lui tendait et il s'est mis à boire au goulot, gloutonnement, comme s'il craignait qu'on la lui enlève avant qu'il puisse en prendre une gorgée.

Je l'ai regardé faire quelques secondes, puis j'ai tendu la main et je la lui ai ôtée.

« Il a tellement soif. Vous avez des tonnes de lait dans la glacière! » m'a dit Moineau, fâchée contre moi.

Est-ce qu'elle ne comprenait vraiment pas que j'aurais pu lui donner jusqu'à la dernière goutte de nos provisions? Je lui ai expliqué que ce n'était pas ça, le problème. S'il buvait trop vite, le ventre vide, il vomirait tout immédiatement. J'ai entendu maman le dire.

« Ça va, Jasper, prends-en encore un peu, lui ai-je dit. Mais essaie de boire lentement, par petites gorgées. Et il en reste en quantité dans la réserve. Je te promets que tu vas en avoir assez pour calmer ta faim. »

Il m'a regardée fixement.

« Je te connais, a-t-il dit d'une voix rauque. Je t'ai déjà vue. »

Je lui ai rappelé que j'étais à la gare avec papa et qu'il m'avait vue là.

« Tu tenais Bess par la bride pendant que papa parlait avec la dame. Puis nous avons emmené Marianna. Te rappelles-tu? »

Son regard s'est un peu adouci, et il s'est remis à boire. Une gorgée. Une pause pour respirer. Encore une gorgée. Une autre pause pour respirer, de manière saccadée.

Je ne pouvais pas me détacher les yeux de lui. Il était crasseux. Ses cheveux étaient coupés courts, n'importe comment, et ils étaient tout sales. Ses vêtements n'en étaient même pas. De vraies guenilles. Et un de ses bras avait l'air de travers. En tout cas, pas normal.

« Où sont ton coffre de chez le docteur Barnardo et les affaires qu'il y avait dedans? » ai-je demandé en pensant à celui de Marianna.

« Il a dit qu'elles étaient trop belles pour moi et il les a fait donner à un jeune Canadien, a répondu Jasper d'une voix monocorde, comme sans vie. Il m'a dit qu'il avait jeté ma Bible. Il a dit que Dieu n'avait rien à faire d'un vaurien de mon espèce. »

Marianna en est restée bouche bée. Ses yeux lançaient des éclairs de colère. J'essayais de rester calme. Ce n'était pas facile. Ces affaires-là appartenaient à Jasper.

« Qu'est-ce qui est arrivé à ton bras? »

« Il me l'a cassé, a répondu Jasper d'un ton fatigué, comme si ces mots effrayants ne l'étaient plus pour lui. Il m'a frappé avec une pelle le premier soir. Il m'avait dit d'aller chercher la vache à l'étable et de la traire. J'avais peur et j'ai pleuré. Je n'avais jamais vu une vache de près et je lui ai dit que je ne savais pas comment les traire. »

Il a arrêté son récit pour reprendre son souffle et pour avaler une autre gorgée de lait. Puis il a continué, la voix toujours traînante de fatigue. Il parlait d'une drôle de façon, comme mécanique.

« Madame Jordan voulait m'emmener chez le docteur, mais il a dit que je leur jouais la comédie. Je pense que ça a guéri tout seul. En tout cas, ça ne fait plus aussi mal maintenant. »

Aussitôt, il s'est mis à claquer des dents, et on avait du mal à le comprendre. Marianna l'a enveloppé dans la courtepointe, et il la tenait bien serrée sous son menton. Mais ses tremblements étaient causés par la fièvre, je crois, car ils ont continué. Tellement fort qu'il avait du mal à tenir la bouteille de lait sans la renverser.

Je me suis agenouillée devant lui pour la tenir, tandis que Marianna posait la bougie dans un endroit sûr. Puis elle est sortie et elle a rapporté un seau d'eau.

« Nous allons te laver, Bout-de-chou », a-t-elle dit.

Il a frissonné, puis il a gémi d'une façon qui faisait pitié à entendre.

Moi, je savais qu'elle avait raison. Maman dit toujours que se blesser, ça peut être dangereux, mais laisser une plaie se salir, c'est encore pire. Ça peut vous empoisonner le sang. Et ça, on peut en mourir.

Nous lui avons délicatement enlevé les guenilles qu'il avait sur le dos et nous avons toutes les deux poussé un cri de stupeur. Il avait le dos tout zébré, probablement par le fouet. Il y avait de vieilles cicatrices, mais d'autres saignaient encore. Il s'était probablement fait battre très fort, juste avant de s'enfuir.

« Qu'est-ce que tu as fait pour qu'il te batte comme ça? » ai-je demandé sans réfléchir.

Jasper m'a regardée de ses grands yeux, et j'aurais voulu rentrer sous terre. Il ne pouvait évidemment pas avoir fait quelque chose d'assez grave pour mériter une telle correction.

« J'ai volé un morceau de pain, a-t-il dit. Il fallait que je mange quelque chose. Il ne m'avait rien donné de toute la journée. Je l'ai pris dans la gamelle de Brutus. Il est à moitié mort de faim, lui aussi, mais il veut bien partager avec moi. Mais monsieur Stone s'en est aperçu. Il aime ça, me faire souffrir. Parfois même, ça le fait rire. »

Je n'ai pas pu parler pendant quelques secondes, car j'avais la gorge trop serrée. Puis j'ai pris mon courage à deux mains et je lui ai dit que j'allais le laver. J'ai promis de le faire le plus doucement possible. Je crois qu'il ne m'a pas comprise. Dès l'instant où j'ai commencé, il s'est mis à crier comme un sauvage, tellement que j'en ai laissé tomber ma débarbouillette. Et j'avais à peine effleuré une de ses blessures. Comme il était très faible, il ne pouvait pas crier très fort, mais Marianna lui a quand même mis la main sur la bouche. Alors il s'est arrêté.

L'eau a vite été sale. Je suis retournée en chercher d'autre dans le tonneau sous la gouttière. Je craignais de réveiller quelqu'un avec le bruit que fait le grand manche de la pompe à eau quand on le soulève et qu'on l'abaisse. Mais pas une seule lumière n'est apparue dans les fenêtres, à l'étage des chambres.

« Jasper, reste tranquille. Le père de Victoria pourrait t'entendre et te renvoyer là-bas », a dit Marianna d'un ton sévère.

« Jamais il ne ferait ça », ai-je dit en la regardant d'un air furieux.

Comment peut-elle penser mon père capable de faire une chose comme ça?

« Il doit se tenir tranquille, a-t-elle grommelé. N'en parle pas, Victoria. Dépêche-toi de finir ce que tu as à faire. »

Ses menaces ont eu de l'effet. Jasper s'est pincé les lèvres et il n'a plus laissé échapper un seul cri. Il se contentait de gémir doucement. Mais on aurait dit que c'était encore pire.

Puis je me suis rendu compte que je n'arrivais pas à enlever toute la saleté.

« J'ai besoin d'eau chaude et de savon », ai-je dit à Moineau.

« Je ne peux pas aller chercher du savon, juste comme ça », a-t-elle dit, les yeux baissés.

Je me suis tournée vers elle pour la regarder. Elle venait de prendre une courtepointe et de la nourriture. Alors quelle différence? Puis j'ai vu qu'elle avait l'air honteuse. Parce que j'étais là et que je saurais tout. Je me suis relevée et je lui ai serré l'épaule.

« Tu t'en fais trop, mais je vais y aller quand même, ai-je dit. Je saurai mieux que toi quoi dire pour m'en sortir, si je me fais attraper. »

« Tu ne vas pas raconter... », a-t-elle commencé à dire, le cou dressé comme une biche aux abois.

« Non », lui ai-je répondu d'un ton rageur, avant de me diriger vers la porte.

Pourquoi ne voulait-elle pas me faire confiance?

Puis, tandis que je soulevais la barre de la porte de l'écurie, je me suis rappelée ce qui était arrivé à Jasper pour avoir pris du pain au chien et j'ai compris encore un peu mieux combien les choses sont différentes pour eux. Je n'ai jamais eu d'occasion d'avoir peur comme ça. J'étais affreusement peinée pour eux.

« Victoria, j'ai fait des bandelettes avec mon jupon, pour en faire des bandages, mais il en faudra peut-être plus », m'a dit Marianna à voix basse.

« Je vais en rapporter », lui ai-je répondu.

Il restait de l'eau chaude dans la grande bouilloire posée sur la plaque du poêle à bois. Cousine Anna était probablement descendue pour remplir sa bouillotte. J'ai pris du savon et la bouilloire, puis je me suis dirigée sur la pointe des pieds vers l'endroit où on garde les guenilles. Sous la pile, j'ai trouvé des pièces de vieux draps de lit tout doux tant ils étaient usés.

Je faisais tellement peu de bruit que j'en étais étonnée. Je me suis même dit que, quand je serais grande, je pourrais faire un bon voleur, si jamais mes livres ne se vendaient pas. Cette idée a failli me faire éclater de rire, mais j'ai réussi à me retenir. C'est bizarre comme la peur arrive à changer toutes vos réactions.

Moineau avait laissé Jasper se reposer et manger un peu, en attendant mon retour. Quand j'ai doucement entrouvert la porte de l'écurie, on aurait dit qu'elle grinçait deux fois plus que la fois précédente. J'ai retenu mon souffle, mais rien n'est arrivé, sauf que Bess a tendu le cou pour me regarder. Ma famille, ignorante de tout, dormait toujours, Ronchon y compris.

Je ne voyais Marianna nulle part, ni Jasper. Mais quand ils ont été sûrs que c'était moi, ils sont sortis de l'ombre, là où ils s'étaient cachés au fond de la stalle de Bess. Elle, elle était toute réveillée et elle a henni.

« Tout doux, vieux cheval », a dit Jasper en lui souriant.

Son sourire avait l'air bizarre, tout tordu dans son visage si petit et marqué par tant de souffrance. Mais ça n'a pas dérangé Bess. Elle a baissé son museau vers lui et elle a soufflé doucement.

« Jasper a le tour avec les chevaux », m'a dit Marianna avec fierté.

Plus le temps d'écrire. Maman m'appelle.

Vendredi 23 juillet, le matin

J'ai tant de choses à raconter que je vais devoir n'en écrire qu'une partie maintenant, et le reste plus tard. Je pourrais me contenter de raconter le principal, et ce serait beaucoup plus rapide, mais je veux pouvoir me souvenir de tous les détails intéressants. Je dois tout ça à Marianna et à son frère. C'est comme une vraie histoire dans un vrai livre. Je veux vérifier si je suis capable de l'écrire comme le ferait un vrai écrivain.

Jasper est toujours caché chez nous. Avant de le quitter l'autre soir, Marianna et moi l'avons aidé à monter dans le grenier où il pouvait se cacher derrière le foin. Mais ce n'était pas très sûr comme cachette. Hier après-midi, quand tout le monde a été parti ou était en train de faire la sieste, j'ai entrepris de les convaincre de me laisser le cacher dans la maison. Il y a un vieux débarras dans la cave, rempli de malles, de chaises brisées et d'autres vieilleries du même genre. Personne n'y entre jamais.

« Billy Grant ou papa vont finir par le trouver, c'est sûr, s'il reste dans ce grenier à foin », ai-je dit.

À cet instant précis, Jasper a éternué.

« Que serait-il arrivé si, en ce moment, ils avaient été ici en bas? » ai-je dit.

Ça les a convaincus.

Mais là, il nous a fallu attendre des heures et des heures avant que tout le monde soit couché pour la nuit, nous permettant de mettre notre plan à exécution. C'était une opération très risquée et j'avais tout le temps peur que le jour se lève avant que nous ayons pu le cacher dans un endroit sûr. J'étais toute surprise, quand nous sommes revenues dans notre chambre, d'entendre l'horloge grand-père sonner la demie après trois heures du matin.

Mais je ne vois pas comment nous allons faire pour le garder ainsi caché pendant longtemps, même si c'est un tout petit garçon. Ce matin, quand tout le monde a été sorti de la cuisine et que Marianna et moi, nous étions en train de remplir un panier de provisions pour Jasper, Cousine Anna a bien failli nous surprendre.

« Qu'est-ce que vous faites là, toutes les deux? » a-t-elle demandé.

Pour une fois, j'étais bien contente qu'elle ne sache pas attendre les réponses aux questions qu'elle pose. Elle n'avait pas l'air d'avoir remarqué le panier. Elle a dit que maman avait besoin de Moineau à l'étage. Je suis donc descendue toute seule à la cave.

« Jasper », ai-je appelé doucement.

Il a eu un mouvement de recul et il m'a regardée comme s'il ne m'avait jamais vue de sa vie. Je crois que je n'ai jamais fait tant peur à qui que ce soit, et je m'en sentais bouleversée. Il avait le regard d'un fou.

« Qui êtes-vous? » a-t-il demandé d'une voix écorchée.

« C'est moi, Victoria, l'amie de Marianna, ai-je dit. J'ai lavé tes plaies, hier soir. Je t'ai apporté à manger. »

« Je veux voir Moineau. Je ne vous connais pas », a-t-il marmonné.

Il s'est mis à dévorer la nourriture, mais j'ai dû repartir, et il ne m'avait toujours pas reconnue. Moineau est descendue, plus tard, et il ne la reconnaissait pas non plus, au début. Il criait, mais elle a réussi à le calmer. Il est vraiment malade, et j'ai peur. Nous ne savons pas, ni l'une ni l'autre, ce qu'il faut faire. J'ai essayé encore une fois de la convaincre de parler à papa, mais elle n'a rien voulu entendre. Finalement, je lui ai promis d'attendre encore jusqu'à demain.

« Et s'il en mourait? » ai-je dit.

Ce n'est pas que je le souhaitais, mais je ne voyais pas d'autre moyen de l'ébranler.

« Tous les jours, des pauvres tombent malades et ils s'en tirent sans le docteur, m'a-t-elle répondu d'un ton cinglant. Jasper est solide. Attendons voir. »

Je suis venue pour lui rappeler qu'elle m'avait elle-même parlé d'enfants du docteur Barnardo qui étaient morts à Hazelbrae après être arrivés d'Angleterre. Et je suis fille de docteur. La maladie peut frapper n'importe qui. Ma cousine Martha, qui avait six ans, a eu la diphtérie l'an dernier et elle a failli en mourir. Et deux enfants qui habitaient pas loin d'ici sont morts.

Puis, juste à temps, j'ai vu dans ses yeux qu'elle était terrorisée. Elle le sait donc. Mais elle est incapable d'y faire face.

Mais qu'allons-nous faire, si l'état de Jasper empire? Et sinon, qu'allons-nous faire ensuite? Je ne vois pas où il pourrait aller. Oh! j'aimerais tant pouvoir renier ma parole et dire à papa que le garçon que monsieur Stone recherche se trouve dans notre cave.

À la fin de l'après-midi

Ronchon a failli vendre la mèche, à l'heure du souper. Il s'est assis en haut de l'escalier de la cave et il s'est mis à geindre. Moineau et moi, nous l'avions laissé descendre avec nous un peu plus tôt dans la journée pour qu'il ne geigne pas, et il avait l'air de faire du bien à Jasper. Jasper l'aime beaucoup. Il ne nous reconnaît peut-être pas, mais il aime cajoler mon petit chien et quand il échappe de la nourriture, à cause de sa grande faiblesse, Ronchon pense que c'est pour lui et il se précipite sur le morceau. J'aurais mieux fait de ne pas le laisser descendre.

Ce soir, il y a un concert en ville. Papa nous y emmène, Cousine Anna et moi. Je suis très inquiète de laisser Jasper, mais Moineau pense que ce sera une bonne occasion pour elle de passer un peu de temps avec lui, après qu'elle aura installé maman dans son lit. Madame Thirsk sera occupée dans la chambre de Tante Lib. Quand elle dort, madame T. en profite pour dormir aussi. Elle ronfle encore plus fort que Ronchon.

J'espère que Moineau ne sera pas imprudente.

Mes pauvres parents pensent qu'en m'emmenant au concert, je finirai par aimer mes leçons de piano. Ils se trompent. J'adore écouter de la musique, mais je déteste faire des gammes.

Samedi 24 juillet, tôt le matin

Tom a découvert Jasper pendant que j'étais au concert. Moineau était descendue pour voir si tout allait bien pour lui, et Ronchon grattait à la porte de la cave. Finalement, à bout de patience, Tom lui a ouvert la porte, et le chiot s'est précipité dans l'escalier. Mon cher frère, qui est très curieux, l'a suivi. Et Moineau en a eu la plus belle frousse de sa vie.

Quand nous sommes rentrés après le concert, Tom nous attendait. Il ne le fait pas d'habitude. Il ne me lâchait pas des yeux. Puis Moineau est arrivée, et j'ai compris que quelque chose n'allait pas.

« Je suis tellement fatiguée, ai-je dit en ne me gênant pas

pour bâiller. Je monte tout de suite. Tom, j'ai le livre que tu voulais avoir. Il est dans ma chambre. »

Il a bondi sur ses pieds, et tous les trois, nous avons gravi l'escalier quatre à quatre.

« Chut! a fait Moineau. Votre mère ne va pas bien. »

Nous avons marché sur la pointe des pieds jusqu'au fond de la maison, en refermant derrière nous la porte qui donne sur les chambres du devant, et nous nous sommes installés pour discuter. Tom était tellement fâché contre monsieur Stone qu'il voulait aller là-bas pour lui faire payer sa méchanceté. Marianna l'a supplié de se tenir tranquille. Comme Jasper est un fugitif, elle est sûre qu'il faudrait alors le renvoyer à la ferme de monsieur Stone.

« Tu ne sais donc pas que les femmes et les enfants n'osent rien dire ni rien faire dans des cas comme ça? » lui a-t-elle demandé, la voix dure et remplie d'amertume.

Tom était fâché qu'elle puisse croire que papa et maman pourraient laisser faire une chose aussi insensée, quelle que soit la loi.

Marianna a tourné les talons et a disparu. Deux minutes plus tard, elle était de retour, le journal à la main. On y rapportait l'histoire d'un garçon qui s'était pendu dans une grange. On disait qu'il n'avait aucun problème avec son employeur, mais on n'expliquait pas pourquoi cet enfant-là en était venu à faire une chose pareille, s'il n'y avait pas de problème.

« Je suis certaine que c'était un orphelin », a-t-elle dit.

Tom et moi sommes restés silencieux. Après tout, Jasper est le petit frère de Moineau, pas le nôtre.

« Est-ce qu'il va mieux? » lui ai-je finalement demandé en retenant mon souffle jusqu'à ce qu'elle me réponde.

Pendant le concert, j'avais pris la décision de briser mon serment et de parler à papa si Jasper n'allait pas mieux.

Elle a baissé les yeux.

« Il m'a reconnue… mais seulement quelques secondes, a-t-elle avoué. Je ne crois pas que sa fièvre a baissé, mais il n'a pas rendu sa nourriture. Attendons voir jusqu'à la fin de la semaine, Victoria. Ta Cousine Anna a parlé d'emmener la vieille dame chez quelqu'un d'autre. »

« Facile à dire, a fait Tom, l'air peu convaincu. Qui en voudrait? Quand j'ai monté un plateau à madame Thirsk ce matin, Tante Lib avait l'air à peu près morte. Elle respire bruyamment, avec des sifflements comme quand j'ai eu la pneumonie. Même si Cousine Anna fait des arrangements, je crois que papa va dire qu'il ne faut pas la déplacer. Et on sera bien avancés! »

Nous ne pouvions pas savoir que Tante Lib allait avoir une deuxième attaque le soir même. Aujourd'hui, elle est inconsciente. Le docteur Graham a dit qu'elle avait bel et bien la pneumonie, comme le pensait Tom, et qu'elle ne passera peut-être pas la semaine. Pourquoi, mais pourquoi donc nous arrive-t-il tant de catastrophes en même temps?

Papa dit que la pneumonie aime les vieilles personnes. Je me demandais ce que ça signifiait. Maintenant, je comprends. Tante Lib est tellement vieille et elle fait tellement pitié.

Jasper fait pitié aussi, mais il n'a que huit ans. Il est bien plus vivant, même s'il délire. Si Jasper attrape la pneumonie et qu'il en meurt, il n'aura vécu qu'un tout petit bout de vie, et ce petit bout aura été fait principalement de malheurs. Aucun de ses rêves n'aura eu le temps de se réaliser.

Mardi 27 juillet, le matin

Voilà trois jours que je n'ai pas écrit. Jasper est toujours en sécurité, caché dans notre cave, et toujours malade. Mais Tante Lib est morte dans son sommeil, samedi soir vers neuf heures.

Cousine Anna était à ses côtés, à lui tenir la main, mais elle n'a pas repris conscience. Madame Thirsk était déjà partie quand c'est arrivé, et c'est tant mieux. J'étais là, avec une tasse de thé pour Cousine Anna, environ vingt minutes avant que Tante Lib meure. C'était horrible. On aurait dit qu'elle était en train de se noyer.

J'ai dit ça à papa, et il a dit que c'était exactement ce qui se passait. Ses poumons s'étaient remplis de liquide. Je ne peux pas m'empêcher de repenser au son qu'elle faisait en tentant de respirer, même si elle repose en paix maintenant.

C'est bizarre comme elle nous manque. Sa chaise semble tellement vide.

L'après-midi

Quand Tante Lib est morte, Cousine Anna a pleuré et pleuré. Et elle n'a pas arrêté depuis que c'est arrivé. Tom dit qu'elle lui fait penser à un pichet d'eau qu'on verse.

Maman a du mal à continuer de se reposer, avec tout ce qui se passe. Si elle apprenait la vérité au sujet de Jasper, nous n'arriverions sûrement plus à la garder dans son lit. Elle a demandé à Cousine Anna de venir à son chevet. Je l'ai suivie, prête à espionner. Ce que j'ai entendu m'a laissée sans voix, ce qui est aussi bien quand on écoute aux portes.

Maman a commencé par dire à Cousine Anna qu'elle avait été une bonne fille pour Tante Lib.

« Je sais qu'elle était dure avec toi, a dit maman. Mais maintenant, c'est fini. »

« Ma mère a fait de son mieux, a pleurniché Cousine Anna en prenant la défense de Tante Lib. Mais elle n'a jamais voulu avoir de fille. Ce n'est pas de sa faute si elle ne m'aimait pas. »

Je n'en croyais pas mes oreilles. Puis maman a dit quelque chose d'encore plus étonnant. Tante Lib aimait Cousine Anna et elle lui a laissé en héritage une propriété, un bout de terrain avec une maison, et tous ses avoirs en argent.

« Ce n'est pas une grosse fortune, mais c'est plus que ce que chacun de nous pensait qu'elle pouvait posséder. Elle a fait promettre à Alastair de ne pas te le dire, mais elle ne voulait pas te laisser sans le sou après sa mort. »

Cousine Anna en est restée bouche bée. Je me suis aussitôt faite toute petite. Je savais que je me ferais renvoyer si elles se rendaient compte de ma présence.

« Lilias, tu n'es pas sérieuse... »

Maman a dit que l'héritage allait être suffisant pour que Cousine A. vive confortablement pour le restant de ses jours.

La maison – qui comprend trois chambres, un salon, une salle à manger et une cuisine – a été louée, mais Tante Lib, sachant qu'elle allait bientôt mourir, a demandé à papa de dire aux locataires que leur bail ne serait pas renouvelé.

Cousine Anna avait toujours la bouche grande ouverte

comme une grosse carpe.

Maman l'a serrée dans ses bras et elle lui a dit qu'elle ne se moquerait jamais d'elle pour une telle question.

« Tu peux t'installer là-bas, Anna, si tu en as envie. Ou tu peux vendre et t'acheter une maison plus à ton goût, a-t-elle continué, lentement et avec plein de douceur dans la voix. Je sais. C'est toute une surprise. »

Il y a eu un lourd silence. J'osais à peine respirer.

« Mais, Lilias, pourquoi ne m'en a-t-elle jamais rien dit? » a demandé Cousine Anna.

Elle parlait comme si elle avait reçu un coup sur la tête et qu'elle était étourdie, et pas comme quelqu'un qui vient juste d'apprendre qu'il hérite.

Maman a dit que Tante Lib avait probablement très peur qu'ensemble, elles dépensent tout, jusqu'au dernier sou. En n'en parlant pas, elle avait voulu assurer l'avenir de Cousine Anna. Le notaire devait venir la voir après les funérailles, mais papa et elle avaient décidé qu'elle devait être mise au courant tout de suite.

Puis Cousine Anna a recommencé à pleurer à gros sanglots, et je me suis sauvée. Je savais que je n'étais pas censée avoir entendu.

Personne ne s'est aperçu que je suis descendue à la cave avant de monter me coucher. Après, je me sentais rassurée. Jasper m'a reconnue tout de suite. Mais il a encore l'air mal en point.

Je dois maintenant m'arrêter d'écrire dans tes pages, cher journal. Tenir ce journal est encore plus passionnant que je le pensais. Je n'ai pas eu envie une seule fois d'arranger la réalité.

Dire que j'avais peur de ne rien trouver d'intéressant à raconter!

Mercredi 28 juillet

Cet après-midi, nous avons tous assisté aux funérailles de Tante Lib. Cousine Anna s'était occupée de tout. Il y avait des paquets de fleurs. C'était encore plus parfumé que dans un jardin, mais moins joli. Je n'aurais jamais pensé que Tante Lib puisse connaître autant de monde, mais maman m'a rappelé qu'elle avait été la femme d'un pasteur protestant.

Morte, Tante Lib avait l'air plus sereine qu'elle ne l'avait jamais été de toute sa vie. Mais froide comme de la glace, avec les lèvres tirées en une sorte de sourire irréel. Elle avait l'air bizarre aussi, sans ses lunettes. J'espère que je ne rêverai pas à elle!

Le pasteur n'en finissait plus de dire quelle merveilleuse personne avait été madame Fair – gentille et généreuse. Il était évident qu'il ne l'avait pas vraiment connue. Il était venu la voir seulement deux fois. Cousine Anna n'était pas très contente.

Puis nous avons eu quelques bouchées à manger. D'autres parents, que je ne connaissais pas, sont aussi venus, et tous s'embrassaient et se jetaient dans les bras les uns des autres. Ils ont même ri et blagué! J'étais scandalisée. Mais maman dit que rire, c'est comme pleurer, mais à l'envers.

Quand je vais mourir, j'espère que les gens se comporteront mieux que ça. Je ne comprendrai jamais les grandes personnes. J'ai entendu deux dames que je n'avais jamais vues de ma vie parler de leurs fausses dents.

Roberta est venue avec sa mère. Quand elle a été sûre qu'il n'y avait personne d'assez proche pour l'entendre, elle m'a parlé.

« Il y a le cirque, cette semaine, m'a-t-elle chuchoté. Est-ce que tu vas pouvoir venir? »

Je n'ai même pas pensé à le demander. Car, avec Jasper caché dans la cave et Tante Lib qui vient de mourir, je ne peux absolument pas quitter la maison.

« Non, ai-je dit. C'est impossible. »

Elle a eu l'air de comprendre, même si elle n'est pas au courant pour Jasper. Cousine Anna était censée aller visiter sa maison avec papa, demain, mais elle lui a demandé s'il pouvait l'y emmener aujourd'hui. Il était déjà passé quatre heures, et tout le monde était surpris.

« Mais, Cousine Anna… », a commencé à dire maman.

« Ne refuse pas, a supplié Cousine Anna. Je suis incapable de me concentrer sur quoi que ce soit et je me sens incapable d'attendre une journée de plus avant d'aller voir. »

Elle parlait comme moi, les matins de Noël.

Alors ils sont partis. Maman avait envoyé madame Dougal et une de ses amies y faire le ménage après le départ des locataires. Je me demande de quoi ça a l'air. Si je n'avais pas si peur que quelqu'un découvre la présence de Jasper en mon absence, je leur aurais demandé d'aller avec eux.

Plus tard

Papa est revenu tout seul à la maison. Cousine Anna a décidé de rester coucher là-bas.

« Mais, Alastair, a dit maman, inquiète, qu'arrivera-t-il

quand elle se réveillera seule dans une maison vide? Je suis sûre et certaine qu'elle n'a jamais dormi seule dans une maison de toute sa vie. »

« C'est peut-être justement pour ça qu'elle a décidé de le faire aujourd'hui », a répondu papa.

David est revenu à la maison pour les funérailles et il a proposé de se rendre là-bas pour lui tenir compagnie. Je crois qu'elle va être contente de le voir. Papa a dit qu'il pouvait y aller après le souper, mais de ne pas insister si elle ne voulait pas le garder.

C'est incroyablement tranquille dans la maison, maintenant. Même Ronchon s'en rend compte et cherche tout son monde.

« Pauvre petite bête qui nous suit tous à la trace, a dit maman. Calme-toi, Ronchon. La trêve sera bientôt terminée. »

Moïse est toute retournée, elle aussi. Moi, je n'ai jamais rien ressenti de pareil. C'est comme de se sentir perdue et de savoir que ce n'est que son imagination, car on est encore chez soi.

Jeudi 29 juillet, le matin

Ça me rend triste de voir des vêtements noirs toute la journée. Maman ne ferait jamais habiller un enfant en noir, mais elle le fait pour elle-même, et elle me fait penser à un fantôme.

Jasper va beaucoup mieux. Il nous reconnaît maintenant. Mais il va bientôt falloir passer à un autre plan. Il ne peut pas rester toute sa vie dans la cave.

Demain, pendant que maman fera sa sieste et que papa

visitera ses malades à domicile, nous allons le laisser monter pour lui permettre de voir la lumière du jour et ne plus se sentir comme quelqu'un qu'on a enfermé aux oubliettes.

Au revoir, cher journal, gardien de mes secrets. Je n'ai jamais eu tant de secrets à garder de toute ma vie.

Vendredi 30 juillet

Aujourd'hui n'a été que catastrophe, du matin jusqu'au soir. J'ose à peine l'écrire. Jasper s'est sauvé!

Et tout ça, c'est la faute de cette madame Jordan.

Non, pas tout à fait. Je sais de qui c'est la faute. Maman se reposait et elle s'était vite endormie. Papa était parti s'occuper d'un bébé à mettre au monde. Madame Dougal était repartie chez elle parce que sa sœur de Niagara Falls était venue la visiter. Cousine Anna était encore dans sa nouvelle maison et, comme de raison, madame Thirsk n'est plus là depuis que Tante Lib est morte. Alors moi, géniale Victoria, j'ai eu cette brillante idée de faire sortir Jasper de la cave pour lui faire prendre un peu d'air et de chaleur du soleil. Ça ne semblait poser aucun problème. Il était probablement en train de regarder dehors, par la fenêtre d'en avant, quand madame Jordan est arrivée en cabriolet.

Il a poussé un cri de frayeur, et nous sommes accourus pour voir ce qui se passait. Elle était là, en train d'attacher son cheval à la barre. Nous étions confiants que Jasper retournerait dans sa cachette. Tom, Marianna et moi, nous nous sommes rapidement consultés pendant qu'elle se dirigeait vers notre porte. Puis nous sommes allés l'accueillir.

Nous avions peur qu'elle voie Jasper, alors nous ne l'avons

pas invitée à entrer. J'ai juste parlé le plus poliment possible pour lui dire que Cousine Anna était à sa maison du chemin Paisley.

« Oh ! a-t-elle dit en me fixant. Tu veux dire qu'elle est sortie? »

Il a fallu que je lui explique l'histoire de l'héritage, car elle n'était au courant de rien, bien entendu. Elle a parlé d'autre chose, se parlant à elle-même autant qu'à moi, assez pour que je comprenne que son frère était parti pour quelques jours et qu'elle avait décidé d'en profiter pour se sauver. À ce que j'ai compris, dès l'instant où monsieur Stone a quitté la maison, elle a fait ses valises, attelé le cheval, chargé ses bagages dans le cabriolet et est venue à Guelph.

Et maintenant qu'elle sait que Cousine Anna a sa propre maison, madame Jordan a décidé que c'était là qu'elle devait aller.

« Carl ne pensera jamais à aller me chercher là-bas. Il connaît votre maison, vois-tu, mais il ne peut pas savoir qu'Anna habite ailleurs, a-t-elle dit, la voix et les yeux remplis d'excitation. Déjà, il ne décolère pas depuis la fuite du petit Jasper. Ça va être encore pire quand il découvrira que je suis partie. Il ne faut surtout pas qu'il puisse me retrouver. »

« Oh ! ai-je dit en essayant de faire semblant de rien. Ce garçon n'est pas revenu chez vous? »

« Non, a-t-elle dit en nous regardant d'un drôle d'air. C'est drôle, il m'a bien semblé voir son visage à votre fenêtre tandis que j'attachais Winnie à la barre. »

« Non!» avons-nous tous crié ensemble, comme si elle venait de nous accuser d'un terrible méfait.

« C'est probablement notre autre frère que vous avez vu »,
ai-je répondu du tac au tac.

J'étais assez fière de moi. Et Tom, aussi bien inspiré, a dit
qu'il pouvait lui montrer où était la maison de Cousine Anna,
si elle le voulait.

Finalement, ils sont partis. J'étais contente que Jasper ait eu
l'intelligence de se retirer sans que personne s'en aperçoive.
J'étais convaincue qu'il était retourné à la cave. Marianna et
moi, nous nous sommes précipitées en bas pour aller le rassurer.

Il n'y avait plus personne.

Nous avons cherché partout, de la cave au grenier. C'était
affreux! Pas trace de Jasper nulle part.

« Il l'a probablement vue, a gémi Moineau. Il aurait dû
nous faire confiance. Oh, Victoria, qu'allons-nous faire? »

Je lui ai dit de continuer de chercher. Je n'arrivais pas à
croire qu'il avait vraiment disparu. Mais il s'était bel et bien
évanoui de la maison. Et même de la surface de la Terre. Bon,
c'est un peu exagéré, mais je me sens aussi catastrophée que si
c'était vrai, et tous les trois, nous avons très peur pour lui.

Il a eu la sagesse de ne pas retourner dans le grenier à foin,
bien sûr, car la jument de madame Jordan y aurait été installée
pour la nuit, si elle avait décidé de rester chez nous. Il est peut-
être à l'affût, en train de surveiller la maison, et dès qu'il sera
sûr qu'elle est partie, il ressortira de sa cachette. Moineau est
morte d'inquiétude, mais je lui ai dit de ne pas perdre espoir.

Pourvu que monsieur Stone ne se montre pas le bout du nez
avant que papa revienne à la maison. Pourvu que Jasper nous
revienne sain et sauf.

Tom est revenu le premier, évidemment. Il dit que Cousine

Anna et madame Jordan étaient comme deux petites filles, tant elles étaient contentes de se retrouver. C'est à peine si elles ont remarqué qu'il repartait. Il leur a demandé si elles avaient besoin de quelque chose.

« Non, non. Tu peux t'en retourner, Tom, et dis-leur que nous sommes heureuses comme deux coqs en pâte », lui a dit Cousine Anna.

Ça ne lui ressemble pas, mais Tom jure que c'est exactement ce qu'elle a dit, mot pour mot. Papa est arrivé ensuite, alors que je ne l'attendais plus. Il était tellement content de l'accouchement qu'il venait de faire (c'était des jumeaux) qu'il n'a rien remarqué de ce qui n'allait pas.

J'aurais bien aimé assister aux retrouvailles de Cousine Anna et de sa chère amie Pansy. Ç'aurait été un bon exercice, pour une romancière en herbe, d'observer la scène.

Maintenant, je dois aller me coucher.

Si seulement les choses pouvaient se calmer pendant quelques jours. J'aimerais avoir le temps d'aller chez Roberta pour jouer à la poupée et ne plus penser aux pauvres, aux malades et aux morts.

Maman ne va pas bien. Moineau vient juste de me dire que ça l'inquiète. Elle s'est reposée chaque fois qu'elle le pouvait et elle a pris son fortifiant, mais ça n'a rien changé. Papa a demandé au docteur Graham de passer à la maison demain.

De grâce, mon Dieu, faites que ma maman aille bien! Rien d'autre n'a d'importance.

Sauf Jasper. Je vous en prie, notre Père qui êtes aux cieux, retrouvez-le-nous et ramenez-le sain et sauf chez nous.

Maman doit garder le lit jusqu'à ce que le bébé naisse. Marianna m'a dit que maman avait les jambes terriblement enflées et qu'elle se sentait souvent étourdie. Le docteur n'était pas venu depuis quelques jours. Un seul coup d'œil lui a suffi. Il a dit à papa que, s'il ne voulait pas perdre encore un autre bébé et même peut-être sa femme, il fallait qu'il voie à ce qu'elle garde le lit à partir de maintenant.

« Si je ne savais pas que vous venez d'avoir un décès dans la famille, je te parlerais beaucoup plus sévèrement, Alastair, a-t-il dit à papa. Lilias est vraiment dans un état inquiétant. Prends bien soin d'elle et veille à ce que toute ta maisonnée en fasse autant, si vous tenez à elle. »

Marianna m'a dit que papa avait eu l'air d'avoir peur. Je sais que moi, j'étais terrifiée par ce qu'avait dit le docteur Graham.

Papa et lui ont installé un lit dans la salle à manger, afin que maman soit assez près de nous pour que nous l'ayons à l'œil. Ils ont soulevé le pied du lit avec des briques, et maman dort penchée comme ça. Elle a un oreiller sous la tête, mais à partir des épaules, son corps repose en montée sur le lit, jusqu'à ses pieds qui sont tout en l'air. Il a dit à Marianna de lui donner à manger quelques aliments particuliers : beaucoup de jus de fruit, de lait et de bouillon de bœuf. Et aussi du pied de veau en gelée.

J'étais dans l'entrée à écouter de mes deux oreilles, et je voyais Moineau hocher la tête à tout bout de champ. Je la voyais tapoter l'épaule de maman pendant qu'elle recevait ces directives.

« Tu es une fille intelligente, lui a finalement dit le docteur

Graham avec un sourire. Je crois comprendre que tu as déjà une certaine expérience avec les bébés à naître. Est-ce que je me trompe? »

« Non, monsieur, a-t-elle répondu, parfaitement calme. Avant que mon papa meure, j'allais aider maman quand on l'appelait. Elle était sage-femme dans notre quartier. »

« Bon, nous ne te demandons pas de t'occuper de l'accouchement, mais je te prie de suivre mes instructions à la lettre. Si le docteur Cope est absent et si tu crois qu'il faut me faire venir, envoie-moi un des enfants. Alastair, je compte sur toi pour que les enfants lui obéissent. »

« Je vais y voir. Je crois qu'ils le feront de toute façon, s'ils savent que leur mère a besoin de toi », a dit papa.

« Je me demande comment ils vont se débrouiller sans moi », a dit maman d'une voix faible.

Mais je pouvais quand même entendre, au son de sa voix, qu'elle était soulagée de pouvoir être déchargée de tout travail dans la maison.

Moineau m'appelle.

Le soir

Je continue mon récit dans mon journal pendant que maman dort.

Le docteur Graham a proposé de demander à madame Thirsk de revenir.

« Madame Dougal, Victoria et moi, nous allons nous débrouiller », a dit Marianna avec assurance.

Je suis intervenue pour l'approuver. Papa a dû nous laisser pour s'occuper de son bureau. Sa salle d'attente était remplie de patients pas si patients que ça. Il nous a dit, à Tom et à moi, de faire tout ce que Moineau nous dirait de faire.

« Tu n'as pas besoin de me le dire », lui ai-je lancé.

« Je sais, Vic », a-t-il répondu doucement en me tapotant l'épaule.

Pour être bien honnête, j'étais tellement inquiète que j'avais du mal à trouver mes mots. Comment allons-nous faire pour nous débrouiller? Même avec madame Dougal auprès de nous pendant toute cette semaine qui vient de passer, j'étais presque sûre que nous n'y arriverions pas. Je peux épousseter et mettre la table, et laver et essuyer la vaisselle. J'ai déjà aidé à faire des crêpes et je sais aussi comment préparer le thé, évidemment, et faire cuire un œuf. Je sais aussi faire griller le pain sans le laisser brûler. Mais personne ne m'a montré à préparer des repas complets pour toute une famille.

Marianna m'a regardée en souriant.

« On va y arriver, m'a-t-elle chuchoté. Tu vas voir, Victoria Joséphine Cope. »

Elle parlait comme un marin qui tient la barre d'un navire et qui sait exactement où il doit se rendre et par quelle route passer. Elle ne m'a pas laissé le temps de m'inquiéter davantage. Elle a envoyé Tom chercher des choses chez l'épicier et chez l'apothicaire. Puis elle m'a dit d'aller tenir compagnie à maman.

Quand je me suis approchée sur la pointe des pieds, maman avait l'air d'avoir trop chaud, et elle avait l'air tendue et pas bien du tout. Puis Moineau est arrivée à ma suite et elle m'a mis dans la main une sorte d'éventail fait des feuilles de palmier.

« Tiens, essaie de rafraîchir ta mère avec ça, a-t-elle dit doucement. Je vais t'apporter un linge mouillé et de l'eau pour que tu lui essuies le visage. Mais laisse-la tranquille. Évite de bavarder, Vic. Elle est fatiguée. »

Alors je me suis assise et j'ai rafraîchi maman avec mon éventail et je lui ai essuyé le front avec mon linge trempé dans l'eau froide. Et, à ma grande surprise, ça avait l'air de marcher. Et c'était bien que Marianna m'ait avertie de ne pas parler, sinon je me serais sûrement mise à jacasser pour la distraire.

« Tu pourrais peut-être me chanter une berceuse, ma fille », a murmuré maman.

Je pensais qu'elle voulait me taquiner, mais j'ai vu ses paupières qui tombaient toutes seules.

Je me suis mise à lui chanter tout doucement des chansons qu'elle me chantait quand j'étais petite. Je me sentais rassurée, et ça aidait à faire dormir ma maman si fatiguée. J'étais très fière, quand je l'ai entendue se mettre à respirer plus lentement et que j'ai été sûre qu'elle s'était vraiment endormie.

Mais immédiatement après, je me suis rappelé qu'on était toujours sans nouvelle de Jasper. Je me demande comment Moineau fait pour trouver le courage de continuer à vivre normalement. Je crois qu'elle a vécu tellement de moments difficiles qu'elle a dû s'inventer des moyens pour s'en sortir.

Je lui ai demandé si je me trompais.

« Tu vas bientôt comprendre, Victoria, que les coups durs sont plus faciles à surmonter si on se tient occupé », a-t-elle répondu.

Je me demande si c'est vrai pour tout le monde, ou seulement pour Marianna Wilson.

Pour le souper, elle nous a fait du poulet pané et, pour dessert, du pouding au sucre du pays. Elle a aussi mis du pain à lever. Puis elle m'a demandé de surveiller tout ça pendant qu'elle faisait encore une fois le tour de la maison, des bâtiments et du terrain, au cas où Jasper serait revenu en cachette. Mais non. Je l'ai su dès que je l'ai vue revenir, toute pâle.

Quand maman s'est réveillée, elle a aussitôt voulu se lever, mais je l'ai repoussée doucement sur l'oreiller.

« Repose-toi, maman, lui ai-je ordonné d'une voix enrouée malgré moi. Marianna a tout bien en main. Tu ne dois RIEN faire. »

« Et toi, ma chérie, tu es son bras droit », a-t-elle dit.

Marianna est arrivée avec la chaise percée et elle a aidé maman à s'asseoir dessus pour faire ses besoins. J'avais oublié ça. Puis elle a apporté une bassine d'eau chaude avec du savon et une serviette.

« Victoria, vas lui faire une tartine de miel et une tasse de thé léger », m'a-t-elle ordonné.

Je suis partie en courant. C'est rassurant d'avoir quelqu'un qui me dit comment aider maman. J'ai fait griller le pain exactement comme elle l'aime, pas trop noir, mais pas trop blanc non plus, juste doré à point.

Papa est venu la voir et l'a trouvée à moitié endormie. Elle lui a souri.

« Tu as l'air mieux, Lilias, a-t-il dit doucement. Et c'est grâce à ces merveilleux enfants. »

C'est étrange, mais Marianna ne me semblait plus être une enfant.

D'une chose à l'autre, j'en suis venue à leur raconter la vérité à propos du nom de Marianna. Après tout, Cousine Anna n'est plus chez nous depuis assez longtemps. Ils ont été étonnés. Mais je ne leur ai pas parlé de son surnom. Ils l'entendront de la bouche de Jasper un jour, j'espère.

« Marianna, tu aurais dû nous le dire », a dit maman.

Marianna s'est contentée de la regarder.

Je me suis alors rappelée quand maman lui a dit qu'on allait l'appeler Mary. Et j'avais l'impression que cette orpheline qui était arrivée chez nous il n'y a pas bien longtemps ne pouvait pas être la même personne qu'elle.

Dans mon lit

Cousine Anna est passée chez nous pour quelques minutes, juste avant qu'il commence à faire noir. Madame Jordan l'a accompagnée en cabriolet. Elle est venue chercher d'autres affaires – David lui avait déjà apporté sa petite valise –, mais elle s'est sentie coupable de voir maman alitée.

« Victoria, fais-la sortir d'ici, m'a chuchoté Moineau à l'oreille. Elle va épuiser ta mère. »

Je suis restée interdite sur le coup. Puis je suis entrée et j'ai entraîné Cousine Anna à l'écart, pour que son amie n'entende pas.

« Il n'y a pas de problèmes avec maman, Cousine Anna, ai-je dit, pleine d'autorité. Nous sommes tous là pour l'aider. Mais tu dois retourner chez toi et garder madame Jordan à l'abri de son frère. Il est venu ici, tu sais. Il m'a fait très peur. Et il va continuer de la chercher. »

Je cherchais ce que je pouvais encore ajouter, mais ce que

je venais de dire avait suffi. Elle est sortie de la maison comme une flèche.

« Bien joué, Victoria Joséphine », m'a dit Marianna avec un petit sourire.

« Vic, tu prends le premier quart », m'a alors dit Tom.

Une expression qui sort tout droit des livres d'aventures de marins qu'il aime tant. Il avait l'air excité, content de faire quelque chose d'important. Je sais comment il peut se sentir.

Maman ne doit plus monter l'escalier. Papa a installé un paravent autour de son lit pour lui donner plus d'intimité, et nous mangeons dans la cuisine. Elle a mangé un peu de potage avec du pain grillé, puis elle s'est rendormie. Je me suis assise à son chevet pour la veiller, et Marianna venait sans cesse voir comment je me débrouillais. À onze heures, elle m'a remplacée.

Je suis maintenant dans ma vraie chambre, que j'ai enfin récupérée. Et Marianna, à sa grande surprise, va avoir sa chambre pour elle toute seule. David revient à la maison demain. Il va avoir la surprise de sa vie en découvrant que maman dort en bas.

Moïse aussi s'occupe de maman. Elle se couche toute tranquille au pied de son lit. J'ai voulu la chasser de là, mais maman a protesté.

« Laisse-la faire, m'a-t-elle dit d'une voix endormie. Elle m'enseigne à me détendre. »

Je dois me coucher maintenant. Je retourne à mon poste dès le saut du lit, demain. Au début, je trouvais que Moineau exagérait, en voulant qu'il y ait toujours l'un d'entre nous auprès de maman, mais quand elle a besoin de la chaise percée ou de quelque chose à boire, c'est aussi bien. Elle se lèverait, plutôt que de nous « déranger ». Et le docteur Graham a dit qu'il n'était pas question qu'elle se lève, sous aucun prétexte.

Août

Dimanche 1ᵉʳ août

Ça ne ressemblait pas à un dimanche, aujourd'hui. Bizarre!

Pas de nouvelles de Jasper. Nous n'en parlons pas, mais je vois l'expression d'angoisse qui assombrit le visage de Moineau chaque fois qu'elle pense que personne ne peut la voir. Elle refuse toujours de céder et qu'on en parle à papa. Je sais que c'est parce qu'elle a peur que papa soit obligé, de par la loi, de renvoyer Jasper chez monsieur Stone. Je suis sûre qu'elle se trompe, mais si c'était moi qui me trompais?

Lundi 2 août, dans mon lit

Tom a retrouvé Jasper!

Mon frère était allé à la pêche. Maman avait dit qu'elle aimerait qu'il lui rapporte du poisson frais. Qu'elle rêvait d'en manger. Je pense qu'elle exagérait juste pour l'encourager, mais je me trompe peut-être, aussi. Tom est donc parti, tel le fier chevalier voulant plaire à sa dame.

Nous nous attendions à ce qu'il rentre tôt à la maison, car c'est un bon pêcheur et il nous revient toujours avec un ou deux poissons de bonne taille. Mais il n'est pas revenu. Nous avons soupé. Papa avait une assemblée à l'église, et il n'était pas à la maison. Moineau et moi commencions justement à nous inquiéter sérieusement, quand Tom est arrivé. Il avait l'air tellement content de lui que je l'aurais frappé avec plaisir.

Agiter un éventail interminablement tandis que soi-même, on meurt de chaleur, c'est très fatigant. Il faisait chaud dans la pièce, et il fallait que je garde l'éclairage au plus bas et que je reste éveillée et que je fasse semblant d'être contente. Même quand maman s'est laissée gagner par le sommeil, il fallait que je reste au cas où elle se réveillerait. Et à cause du faible éclairage, je ne pouvais pas lire. J'étais contente de faire ma part, évidemment, mais pas au point de dire que c'était amusant.

Et je croyais que, pendant ce temps-là, Tom, le veinard, se prélassait au bord de la rivière Speed sans penser une seconde à nous autres. Je l'ai fusillé du regard quand il est rentré, l'air triomphant.

Puis il nous a fait signe de le suivre, Marianna et moi. Moineau avait l'air aussi mécontente que moi, mais nous l'avons quand même suivi. Il nous a emmenées jusqu'à l'écurie, et Jasper était là! Il était blotti dans un coin de la stalle de Bess et il dormait.

Marianna a sauté au cou de Tom. Il est devenu rouge comme une tomate.

« Où était-il? » ai-je demandé tout bas.

Il avait l'air épouvantable, crasseux, encore plus maigre, avec beaucoup de nouvelles traces de coups et avec des plaies autour de la bouche.

Mais il était vivant!

Tom a dit que c'était un miracle. Il avait décidé d'aller

pêcher dans un endroit nouveau pour lui. Il était passé par la rue Norwich et il s'était assis sur la berge, près du pont. Jasper se cachait dans les broussailles qui se trouvent au pied des piles du pont. Il a tout de suite vu Tom, mais il a attendu un bon bout de temps pour s'assurer qu'il était seul.

Jasper pensait que quelqu'un de chez nous avait dit à madame Jordan où le trouver. Il pensait que c'était Cousine Anna.

« Je lui ai dit qu'elle était un peu toquée, mais certainement pas méchante à ce point-là », a dit Tom à voix basse.

Comme personne n'est venu rejoindre Tom, Jasper a été rassuré et il l'a finalement appelé.

« Qu'est-ce que tu as fait? » ai-je demandé.

« Le cœur m'en est descendu presque jusque dans les talons, a avoué Tom, d'un sourire gêné et en se frottant la nuque. Je pensais que j'avais affaire à son fantôme. »

Puis il a expliqué qu'ils seraient arrivés à la maison bien plus tôt, mais que Jasper ne voulait pas quitter sa cachette où il se sentait en sécurité, tant qu'il ne ferait pas noir. Il ne s'était aventuré qu'une seule fois en dehors, pour aller quêter un peu de nourriture. Tom aurait bien aimé avoir apporté avec lui du pain et du fromage, pour lui-même comme pour Jasper. Il a raconté qu'il avait pensé mourir de faim parce que Jasper ne voulait pas changer d'idée et venir avec lui.

Moineau est partie à toute vitesse leur chercher de quoi manger, emportant avec elle les deux petits bouts de poisson que Tom avait rapportés. Maman allait être contente des poissons, et de l'histoire, si seulement Moineau voulait nous laisser la lui raconter.

« Tu sais, Vic, moi, je ne lui ai pas promis de ne rien dire, m'a chuchoté Tom à l'oreille. Je crois qu'il est temps de demander de l'aide. Ce garçon est gravement malade, j'en mettrais ma main au feu. »

J'étais d'accord, mais MOI, j'avais promis. J'aurais préféré que Tom ait parlé sans m'en avertir. Nous étions assis dans le parc de l'écurie, où Jasper pourrait nous voir dès qu'il ouvrirait l'œil. Nous voulions ainsi éviter qu'il soit effrayé et, en même temps, nous assurer qu'il ne bougerait pas de là. Je pensais que ça ne poserait pas de problème, de laisser maman pendant ces quelques minutes.

« Heureusement que Billy est retourné chez lui », ai-je dit à Tom, qui a approuvé en hochant la tête.

Pendant que nous attendions là, je lui ai raconté tout ce que maman m'avait confié au sujet de Tante Lib et de Cousine Anna. Maintenant que Tante Lib est morte, il n'y a plus de raison de garder le secret. Quand il a appris que Cousine Anna n'était pas la fille de Tante Lib, il a été aussi étonné que moi.

« Sainte Bénite à bretelles! » s'est-il exclamé, exactement comme je l'avais fait.

Puis il m'a raconté qu'il caressait depuis longtemps l'idée de prendre la mer, un jour.

« Non, Tom, ai-je dit. Il ne faut pas. »

« Je le sais, espèce de dinde », a-t-il dit.

Puis j'ai éclaté en sanglots, et il m'a dit de ne pas me gêner, et j'ai pleuré. Je crois qu'il a pleuré un peu, lui aussi. Nous sommes tous les deux tellement inquiets au sujet de maman.

« J'espère que Marianna va apporter cette nourriture », a-t-il dit, quand soudain, nous avons vu papa qui se dirigeait vers nous.

« Qu'est-ce que vous manigancez donc, vous deux? » a-t-il demandé.

Mais sa grosse voix a réveillé Jasper.

« Non! Je ne veux pas y retourner! Jamais! » a-t-il crié, encore à moitié endormi.

Et voilà comment notre secret a été découvert.

Il ne nous restait plus qu'à prier Dieu dans sa grande bonté.

J'écrirai la suite demain matin.

Mardi 3 *août*

Il y a tellement de choses à raconter, avec tout ce qui s'est passé depuis hier. J'ai déjà mal à la main rien que d'y penser. Mais c'est toute une histoire!

Juste après que Jasper s'est trahi, Marianna est revenue en courant, avec de la nourriture pour le pauvre Tom. Elle avait été retenue par maman qui lui demandait de l'aider pour quelques petites choses. Papa a regardé Jasper, qui était retombé dans un sommeil agité. Il émettait une sorte de long gémissement sourd. Papa s'est penché pour toucher son front du dos de la main.

« Pauvre petit, a-t-il dit doucement. Tu brûles de fièvre. Un monstre t'a battu. Monsieur Carl Stone, j'en suis sûr. »

Il nous a entraînés à l'extérieur, et pendant que Tom mangeait, Marianna et moi, nous lui avons déballé toute l'histoire de Jasper. Papa avait l'air terriblement fâché, mais pas contre nous.

Il a dit à Marianna qu'elle n'avait pas à s'inquiéter. Maman allait vouloir être mise au courant. Il a expliqué que son corps avait besoin de repos, mais pas nécessairement son esprit ni son cœur. Quand Jasper s'est remis à gémir, papa est retourné le voir. Il l'a pris tout doucement dans ses bras et il l'a transporté en haut. Marianna a fait chauffer de l'eau pour remplir la bassine, et papa a lui-même lavé Jasper. Il a dit qu'il fallait s'assurer que chaque plaie était bien nettoyée, sinon il risquait de faire un empoisonnement du sang. Il avait transporté Jasper comme s'il n'avait pas pesé plus qu'une plume, et quand j'ai apporté une vieille chemise de nuit de Tom à lui mettre sur le dos, j'ai vu pourquoi. Il n'a plus que la peau et les os. J'aurais pu compter le nombre de côtes et de vertèbres. Et les omoplates lui ressortent dans le dos comme deux grandes pelles à tarte. Il était tellement crasseux que nous avons dû vider la bassine et la remplir d'eau propre par deux fois. Avant qu'on les lave, ses cheveux étaient tellement pleins de poussière que personne n'aurait pu deviner qu'ils étaient roux. Je n'arrivais plus à détacher mes yeux de son pauvre petit corps meurtri.

« Victoria, cesse de le regarder comme ça, m'a dit papa. Laisse à ce jeune homme un peu d'intimité. »

J'ai rougi et je me suis enfuie. Mais, pour tout dire, ce que j'étais en train de regarder, ce n'était pas un petit garçon, mais un véritable squelette. Et puis, il a seulement huit ans! S'il avait le même âge que moi, je ne serais jamais restée.

Je déteste ce sourire taquin de papa. Ça me fait rougir, même quand je n'ai aucune raison d'être gênée.

Maintenant, Jasper est dans mon ancienne chambre; j'ai donc dû déménager encore une fois. Tom est retourné dans la chambre du devant que David et lui partageaient avant que Peggy nous quitte. Cousine Anna a déménagé au bon moment.

Quand Marianna a donné à son petit frère la nourriture que papa avait prescrite, il l'a dévorée comme un loup affamé. Elle n'arrêtait pas de l'empêcher d'avaler tout rond pour qu'il prenne le temps de mastiquer. C'était désolant à regarder. Mais en même temps, c'était merveilleux. C'était comme de voir une plante mourant de soif se faire arroser et se mettre à revivre instantanément. Un petit garçon qui mastique et avale sa nourriture ne ressemble pas à un cadavre.

Avant que Marianna installe Jasper au lit, papa l'a emmené voir maman. J'ai suivi, car je ne voulais rien manquer. Elle a regardé son petit visage tout maigre et meurtri, et elle s'est mise à pleurer. Son visage est plus que maigre, il a l'air émacié; je crois que ça peut se dire, ou peut-être qu'il faut plutôt dire « hagard ». On dirait un squelette, sauf si on regarde ses yeux incroyablement bleus et son sourire inquiet. Ses cheveux, maintenant qu'ils sont propres, sont presque aussi flamboyants que l'autre fois à la gare, même si monsieur Stone les a coupés trop courts.

« Viens près de moi, Jasper », a dit maman, en le serrant contre elle le plus fort qu'elle pouvait.

C'est difficile avec le bébé qui prend toute la place. Elle lui a murmuré quelque chose à l'oreille. Puis des larmes se sont mises à couler de ses yeux, à lui aussi. Nous faisions toute une bande de braillards!

Je me demande ce qu'elle lui a dit. Il va peut-être le répéter à Marianna. Ça ne me regarde pas, mais j'aimerais tant le savoir quand même.

« Nous allons reparler de tout ça demain matin, a dit papa quand Marianna a eu terminé de border Jasper. Nous avons des choses à mettre au point. »

Tom et moi, nous évitions son regard, car nous étions sûrs d'avoir des ennuis.

« Personne ne touchera plus à un seul cheveu de ce garçon, quant à moi, nous a-t-il dit avant de nous quitter. Vous avez bien agi, les enfants. »

« Oui, papa », avons-nous murmuré avant de sortir.

Puis Ronchon est arrivé et il m'a sauté dessus en réclamant sa part d'attention. Je l'ai pris dans mes bras et je l'ai gratté derrière ses oreilles toutes douces. Il devient très lourd! Dong, dong, dong, faisait sa petite queue. Tellement merveilleusement ordinaire!

Il m'a léché l'oreille gauche de sa langue veloutée pendant que je me dirigeais vers ma chambre et vers toi, cher journal. Ça faisait un bien immense de rire.

Quelle drôle de journée! Et quelle bénédiction que papa soit maintenant au courant! Je ne ferai peut-être pas de cauchemars, cette nuit.

Mercredi 4 août

David est arrivé à la maison tard hier soir. Personne ne lui a rien dit au sujet de Jasper. Nous n'avions probablement pas envie d'entendre ses railleries. Mais je ne crois pas que ce soit la vraie raison. Je sais que ça peut paraître incroyable, mais David est devenu comme un étranger, et je n'ai pas pensé que la présence de Jasper chez nous pouvait le regarder en quoi que ce soit. Vraiment.

Maman lui a dit que, maintenant que Cousine Anna était installée dans sa propre maison, la chambre du devant était libre pour Tom et lui. Elle n'a rien dit au sujet de mon ancienne chambre, mais David ne l'a pas remarqué. Il ne remarque pas les choses qui ne le concernent pas directement.

« Touche mes muscles », a-t-il dit à Tom en repliant le bras.

Tom lui a tâté le bras.

« C'est impressionnant », a-t-il dit.

Nous ne nous sommes pas consultés pour décider ensuite de garder le secret au sujet de Jasper. Mais personne n'a dit un traître mot. Il était tranquille et ne dérangeait personne; sans compter que David va repartir bientôt. Nous nous sommes peut-être dit, chacun de notre côté, que moins il en saurait, moins il aurait l'occasion de se montrer mesquin.

Mais c'était une erreur. Au beau milieu de l'avant-midi, David a eu besoin d'une serviette propre et il est allé voir dans la lingerie. Elle se trouve entre mon ancienne chambre et l'autre plus petite que nous partageons en ce moment, Marianna et moi. J'étais dans la cuisine quand j'ai entendu ses pas s'arrêter devant la porte de Jasper. Jasper dormait, mais chaque fois qu'il respire, on entend des râles et des sifflements. Je venais tout juste de monter le voir et je l'avais entendu respirer comme ça à travers la porte. J'ai donc retenu mon souffle tout en priant pour que David n'entende rien.

Il a déboulé l'escalier de service à toute vapeur. Puis il s'est planté devant moi et il m'a lancé un regard assassin.

« Qui est ce garçon? » a-t-il demandé.

J'avais totalement oublié que David n'avait jamais vu le frère de Marianna et qu'il n'en avait même jamais entendu parler. Ça m'a tellement prise par surprise que j'en suis restée bouche bée. J'ai senti ma mâchoire inférieure littéralement tomber.

« Jasper », lui ai-je répondu, belle gourde que je suis.

« Et qui est donc ce Jasper? Je ne l'ai jamais vu de ma vie, et il est là avec une vieille chemise de nuit de Tom sur le dos, l'air installé ici pour rester. Est-ce que je suis un membre de cette famille, oui ou non? » a-t-il demandé, les mots lui sortant de la bouche avec difficulté, un peu comme la viande quand elle ressort du hache-viande.

Marianna est alors entrée avec des légumes qu'elle venait de cueillir pour le souper. Elle m'a épargné d'avoir à répondre.

« C'est mon frère, a-t-elle dit avec un filet de voix. Je suis désolée que tu n'aies rien su à son sujet, mais il nous a fallu garder le secret, pour sa sécurité. »

Le visage de David s'est crispé et ses yeux sont devenus noirs de colère. Il était méconnaissable. Il ressemblait à ce que papa appelle un sale type.

« Ah bon! a-t-il dit d'un ton ironique. Ça explique tout. Est-ce que la police le recherche? Il m'a tout l'air d'un petit voyou. Coupe de cheveux à la mode des prisons et le reste dans le même style. Je ne lui ferais certainement pas confiance une seule seconde. »

Je me suis mise à lui crier par la tête avant même que Marianna ait la chance d'ouvrir la bouche.

« Jasper a seulement huit ans, ai-je hurlé. Il se faisait battre par monsieur Stone. Il n'avait presque rien à manger. Il s'est enfui et il a retrouvé Marianna. On doit le soigner. »

David m'a lancé un regard méchant, l'air vraiment sarcastique. Puis il a dit qu'il était certain que papa ne savait pas que nous cachions chez lui un orphelin en fuite et qu'il était désolé, mais qu'il était de son devoir de l'en avertir. Il n'avait pas l'air désolé du tout, mais plutôt vraiment mesquin.

Puis, cher journal, juste au moment où j'allais me jeter sur David, papa est entré dans la cuisine où nous nous trouvions, tous les trois prêts à la bataille.

Il a dit qu'il était au courant pour Jasper et que maman n'était pas bien et que David la décevait. Puis il a dit à David de se reprendre et de ne pas retourner la voir tant qu'il ne se serait pas calmé.

« Ce qu'il advient de Jasper ne te concerne pas », a-t-il dit en terminant.

David allait répondre, mais papa lui a aussitôt tourné le dos en disant qu'il avait des visites à faire chez les fermiers.

« Je ne vais pas manger ici, nous a-t-il dit, à Marianna et à moi. Comme d'habitude, ils vont m'offrir à manger jusqu'à m'en faire éclater la peau du ventre. »

Sur le pas de la porte, il s'est retourné et il a demandé à David si ça lui plairait de l'accompagner. J'étais étonnée de voir combien il avait l'air calme, et encore plus étonnée quand David a grommelé qu'il avait quelque chose à faire. Nous adorons tous accompagner papa dans ses visites à la campagne. Il nous prend un seul à la fois, et ça nous donne l'occasion de parler avec lui en tête-à-tête, sans personne d'autre pour s'interposer.

Papa refermait la porte derrière lui quand David a éclaté.

« D'avoir ce garçon dans la maison ne peut pas être bon pour maman. Il est tout plein de vermine et… », a-t-il crié.

« Ce n'est pas vrai! » lui a lancé Marianna.

« Ça suffit, vous deux, a dit papa. J'ai moi-même lavé Jasper, David. Tu dois avouer que je sais comment m'y prendre pour laver un petit garçon, même couvert de coups et de blessures. »

Puis il est parti pour de bon, en refermant bien la porte derrière lui.

« Je m'en vais en ville », a annoncé David d'une voix forte, puis il est sorti en claquant la porte.

Tout est prêt pour notre repas du midi, mais nous attendons encore Tom. Alors, cher journal, je dois m'interrompre.

Le soir
À la lueur d'une bougie,
au chevet de maman qui dort

Je n'avais aucune idée de ce qui nous pendait au nez quand j'ai écrit mes dernières lignes. J'ai bien vu David, par la fenêtre, partir sur la bicyclette que papa et maman lui avaient offerte pour son dernier anniversaire. J'ai été surprise qu'il l'ait enfourchée pour se rendre si peu loin. J'aurais dû comprendre plus vite. Il ne s'en allait pas au centre de la ville, mais en dehors de la ville.

Il est rentré longtemps après que nous avons eu terminé de prendre le dessert. Il nous a tous regardés, l'un après l'autre. Il avait l'air de vouloir nous dire quelque chose, mais il ne l'a pas fait. Il est monté et il n'est pas redescendu. L'après-midi se passait tranquillement.

Puis Ronchon s'est mis à japper pour m'avertir que quelqu'un arrivait. Je suis allée ouvrir la porte. J'ai regardé dehors et je me suis figée. Monsieur Stone était là, en train de descendre de sa charrette. Pendant quelques secondes, je suis restée comme paralysée. C'était comme si j'avais été changée en bloc de pierre, cher journal. Je n'arrivais pas à faire fonctionner mon cerveau, jusqu'à ce qu'il parle.

« Je suis venu chercher le garçon », a-t-il dit, comme s'il avait aboyé.

J'étais plantée là, comme une statue, la bouche toute grande ouverte. Je l'empêchais de passer, mais pas parce que je voulais le faire. On aurait dit que j'étais incapable de penser.

« Êtes-vous simple d'esprit, ma fille? Je sais qu'il est ici, a-t-il dit en haussant le ton comme si j'avais été sourde. Votre frère a eu l'amabilité de venir jusque chez moi pour m'en avertir. Dites à Jasper Wilson que je l'attends et qu'il a intérêt à venir ici tout de suite, s'il ne veut pas se prendre encore une raclée. »

Je savais que Moineau s'était précipitée dans l'escalier de service pour avertir son frère. Peut-être arriverait-elle à le cacher. David restait invisible. Papa n'était pas encore rentré de ses visites. Tout reposait sur mes épaules, et j'étais figée de peur. Monsieur Stone avait son fouet à la main, encore une fois, et je pensais que Jasper était condamné.

Cher journal, je sentais que je me noyais dans le plus sombre désespoir.

C'est alors que j'ai entendu, dans mon dos, les pas de quelqu'un qui approchait lentement, puis la voix de maman, car c'était elle.

« Mon mari est absent, monsieur Stone, a-t-elle dit d'un ton net. Veuillez, s'il vous plaît, vous asseoir dans la salle d'attente jusqu'à son retour. »

Il ne voulait pas. Il est devenu rouge foncé comme une betterave. Maman était en robe de nuit, avec un peignoir par-dessus, et ses longs cheveux lui tombaient dans le dos.

« Je suis couvert de poussière à cause du chemin, madame, a-t-il grogné. Tout ce que je veux, c'est Jasper Wilson. J'ai tous les documents qui prouvent qu'il dépend de moi jusqu'à ses dix-huit ans. Il n'avait pas d'affaire à s'enfuir et à venir bavasser chez vous qu'il était maltraité. Il a tout simplement reçu les châtiments qu'il méritait. »

« Veuillez me suivre », a dit maman.

Elle s'est retournée lentement, plus que jamais semblable à un beau grand navire toutes voiles dehors, et elle est entrée dans la salle d'attente. Il ne pouvait rien faire d'autre que de la suivre. En refermant la porte derrière elle, elle m'a regardée en ayant l'air de dire qu'elle comptait sur moi pour m'assurer que, quand monsieur Stone en ressortirait pour chercher son orphelin, Jasper ne serait plus là.

Je me suis précipitée en haut. Marianna était en train d'habiller son frère. Elle lui enfilait une vieille chemise de Tom.

« Maman s'est enfermée avec lui dans la salle d'attente, ai-je dit, mais tellement vite qu'ils auraient pu ne pas me comprendre. Oh, Moineau, qu'allons-nous faire ? »

Puis j'ai eu une idée. Les Johns pouvaient nous aider ! Roberta était au courant de tout, et je savais qu'elle avait parlé de Jasper à sa mère. Sa mère avait essayé d'en savoir plus, mais Marianna avait fait promettre à Roberta de ne rien dire, avant de lui confier son secret. Je ne pouvais pas demander à ma mère de me dire ce que je devais faire. Alors, pour la première fois de ma vie, j'ai moi-même décidé ce que nous devions faire et j'ai vu à ce que Tom et Marianna m'aident.

Nous avons fait descendre Jasper en cachette, par en arrière, sans faire de bruit. J'ai griffonné un mot pour la mère de Roberta, lui expliquant ce qui venait d'arriver. Puis Tom a fait monter Jasper sur sa bicyclette. Jasper tendait les bras vers sa sœur et ses pauvres petites joues creuses étaient baignées de larmes.

« Monsieur Stone est ici. Tiens bon, Jasper. Il faut que nous filions à la vitesse de l'éclair, si nous voulons échapper à cet abominable tyran », a glissé Tom habilement, à l'oreille du petit garçon.

Ils sont donc partis en direction de la maison de Roberta, avec ma note expliquant tout, glissée dans la poche de Tom. Grâce au ciel, notre chemin n'est pas visible des fenêtres de la salle d'attente. Sur le côté de la maison, ils ont croisé papa qui arrivait. Il s'est arrêté, étonné de les voir ainsi. J'ai couru à sa rencontre.

« Monsieur Stone est là, avec maman », lui ai-je dit tout essoufflée.

« Comment diable a-t-il pu savoir? »

J'ai hésité, mais de toute façon, il allait finir par l'apprendre.

« David, ai-je répondu, la gorge serrée. Il est allé là-bas à bicyclette et il le lui a dit. »

Papa a soudain eu l'air malade. J'espère que, jamais de toute ma vie, je ne causerai une telle tristesse dans ses yeux. Puis il s'est précipité dans la maison.

Maman et papa, à eux deux, ont fini par se débarrasser de monsieur Stone, même s'il insistait pour fouiller les chambres du fond. David lui avait probablement dit que Jasper se trouvait dans l'une d'elles.

« Notre orpheline dort là-haut », lui a dit papa d'un ton aussi froid que les blocs de glace qu'on nous apporte pour la glacière.

Je ne peux pas écrire davantage, cher journal. Je dois me coucher. L'atmosphère est tendue dans la maison. Personne ne parle plus à David. Il a essayé d'expliquer qu'il avait fait ça parce que maman était malade et qu'elle avait besoin de Marianna pour s'occuper d'elle.

Maman s'est contentée de le regarder.

« Oh David, a-t-elle chuchoté, ne dis plus rien. »

Les larmes lui coulaient sur le visage, et Marianna l'a ramenée dans son lit. Je pleure, maintenant. Demain, il faudra aller chez Roberta. J'ai l'impression que j'ai déjà eu une famille, mais que maintenant, elle est brisée.

Jeudi 5 août, le matin

Je crois que le bébé va arriver. Maman a commencé à avoir des douleurs. Papa a voulu m'envoyer rester chez Cousine Anna, mais Marianna lui a dit que ce serait mieux que je reste ici, où je peux me rendre utile.

« Ma mère disait que toutes les femmes devraient connaître ces choses-là, lui a-t-elle dit. C'est son droit. Elle n'est plus un bébé. »

Je ne sais pas ce qu'elle voulait dire, mais il m'a regardée et il a hoché la tête lentement.

« Très bonne idée. Tu feras tout ce que Marianna te demandera de faire », a-t-il dit.

Je commence à en avoir assez de me faire dire d'obéir à

Marianna. Je le ferais de toute façon. Maman est entrée en douleurs pendant la nuit, mais on dirait que ça part et que ça revient. Dans les périodes calmes, elle bavarde avec moi, comme à l'ordinaire.

J'aimerais savoir à quoi m'attendre. Je peux te le dire à toi, cher journal : j'ai peur.

Au début de l'après-midi

Le docteur est venu chez nous. Il est resté presque toute la journée. Les douleurs de maman se sont arrêtées, et elles n'ont pas recommencé. Le bébé arrive quelques semaines trop tôt. Marianna a dit que maman ne s'attendait pas à ce que le travail commence avant la fin d'août. Est-ce que le bébé va en souffrir s'il arrive trop tôt ? Personne ne me dit quoi que ce soit.

« Commencer son travail », c'est vraiment bizarre comme expression.

« Le bébé se repose pour se refaire des forces avant la grande poussée finale, a dit le docteur Graham. Il sait qu'une grosse journée l'attend. »

« Elle sait, a dit maman d'une voix faible, en me faisant un petit sourire. Victoria veut une petite sœur. »

« On va faire tout ce qu'on peut, a dit le docteur Graham, secoué d'un petit rire. Mais elle passe sa commande un peu tard dans la journée. »

Mais il n'avait pas le regard rieur. Aurait-il peur ? Sait-il s'il y a un véritable danger ? La mère de Joan Macgregor est morte en donnant naissance à son petit frère. J'aurais préféré ne pas me rappeler ça.

Vendredi 6 août

La journée d'aujourd'hui s'est présentée comme une deuxième journée d'attente. Je me sentais comme si j'allais exploser et m'éparpiller dans toute la chambre en mille petits morceaux. Puis madame Cameron est arrivée et elle s'est assise auprès de maman.

« Victoria Cope, tu as vraiment très mauvaise mine, a-t-elle dit en secouant la tête. Lilias sera très bien avec moi à son chevet. Va faire un tour dehors pour prendre un peu d'air frais. »

J'hésitais à lui obéir. Mais maman m'a souri et, d'un signe de tête, elle m'a indiqué la direction de la porte. Et aussitôt, elles se sont mises à jacasser, l'air de m'avoir oubliée. Je suis donc partie.

J'ai trouvé Tom au jardin, et nous bavardions tous les deux quand nous avons aperçu papa et David qui sortaient ensemble de la maison. Ils ne nous ont pas vus. Ils avaient l'air énervés. Nous les avons regardés, cachés derrière les grandes roses trémières puis, sans nous consulter, nous nous sommes rapprochés sans faire de bruit.

« Mais j'ai dit à Nathan que j'irais chez lui », ai-je entendu David dire.

« Nathan peut survivre sans toi, a dit papa, sans faire le moindre sourire. Je veux que tu viennes avec moi chez Roberta Johns. »

« Pourquoi? » a demandé David, avec le ton criard qu'il a quand il est tendu.

J'étais surprise qu'il ose demander pourquoi. D'habitude, quand papa dit « fais ceci » ou « fais cela », nous le faisons sans poser de questions.

« Tu verras, lui a répondu papa. En chemin, je dois passer prendre des médicaments chez madame Forbes. Tu tiens les rênes. »

Quand ils ont bifurqué pour se diriger vers l'écurie, Tom et moi n'avons pas eu besoin de nous consulter non plus. À la seconde même où ils ont disparu de notre vue, nous sommes partis en courant. Comme ils devaient d'abord s'arrêter pour les médicaments, nous sommes arrivés chez Roberta avant eux.

Heureusement, Roberta nous a vus arriver et nous avons eu le temps de lui raconter ce qui se passait.

« Suivez-moi », a-t-elle chuchoté en nous faisant signe de la main.

Elle nous a menés devant les arbustes qui poussent contre la maison. La fenêtre du boudoir se trouve juste au-dessus et elle était grande ouverte, pour faire de l'air.

Nous avons rampé sous les branches pour nous cacher. Tom a sorti la tête et il l'a aussitôt rentrée.

« Ils arrivent, a-t-il sifflé entre ses dents. Le docteur Graham est avec eux et David a l'air malade. »

Nous avons entendu madame Johns les accueillir.

« Par ici, a-t-elle dit. Le pauvre petit va être nerveux en vous voyant. Il a tellement peur que quelqu'un l'oblige à retourner chez ce monstre. Ça va, Jasper. Ce sont tes amis. Tu te souviens du docteur Cope? »

À tour de rôle, nous avons sorti la tête pour voir ce qui se passait dans la maison. Au début, David avait l'air hautain et dédaigneux. Puis papa lui a montré les blessures que Jasper avait dans le dos et son bras cassé et ses os qui ressortaient partout sur son pauvre petit corps. On peut compter toutes ses vertèbres. On voit encore les marques de coups et les blessures.

« C'est inadmissible », a grondé le docteur Graham, la voix toute changée.

« Il est rouge de colère », a chuchoté Roberta.

J'ai regardé et j'ai vu les veines de son front qui saillaient.

Papa a dit qu'il voulait un témoin parce que, s'il traîne monsieur Stone devant les tribunaux, il y aura plein de gens qui y viendront pour dire, en le jurant sur les Évangiles, que le garçon n'avait eu que ce qu'il méritait.

« Je sais qu'il y a un fort ressentiment envers ces enfants chez certains membres de notre élite, a dit le docteur Graham. C'est criminel. J'ai entendu un membre de notre profession médicale, dont je tairai le nom, dire que les garçons et les filles qu'on nous envoie ici sont malsains de corps et d'esprit. Les gens d'Hazelbrae, et de Toronto aussi, ont beau protester, il n'y a rien à faire, semble-t-il. »

Puis il a convaincu Jasper de parler de ce qui lui était arrivé. David avait l'air de plus en plus malade, au fur et à mesure que Jasper racontait qu'il avait été battu, qu'on l'avait fait dormir à même le plancher, dans la remise avec le chien, et que très souvent, on ne lui donnait rien à manger pour le souper.

Roberta a étouffé un sanglot quand Jasper s'est mis à raconter la fois où il avait lancé un vieil os au chien et que, pendant que la brave bête courait pour l'attraper, il avait volé les croûtes de pain moisi que monsieur Stone avait mises dans sa gamelle. Jasper a dit qu'il s'était senti très mal de faire ça, car le chien était affamé lui aussi, mais il n'avait rien pu trouver d'autre à manger. Parfois, quand monsieur Stone s'absentait, sa sœur s'arrangeait pour lui refiler quelque chose, mais, chaque fois, le méchant homme semblait s'en apercevoir. Elle aussi avait peur de lui. Jasper volait des œufs dans les casiers des poules, mais les poules étaient vieilles et maigres, et elles ne pondaient plus beaucoup.

J'étais contente que Moineau ne soit pas venue avec nous. C'était tellement triste à entendre! Je ne peux plus continuer à écrire. Quand nous sommes revenus à la maison, j'avais peur que le bébé ait profité de notre absence pour venir au monde, mais rien ne semblait avoir changé.

Dépêche-toi, bébé!

Dans mon lit

Voici la suite de ce qui s'est passé chez Roberta.

Le docteur Graham a proposé d'aller dénoncer lui-même ce bourreau à la police. À ces mots, Jasper s'est mis à hurler de peur.

« Ça va, mon garçon, a dit papa. Nous n'allons pas le faire tout de suite. »

Ce qu'il a dit ensuite m'a stupéfaite.

« Billy Grant se fait vieux, a-t-il dit au docteur Graham. Si Lilias et moi, nous prenons ce garçon chez nous et qu'il travaille avec Billy à raison d'une heure ou deux par jour et que le reste du temps, il aille à l'école, il sera prêt à prendre la relève quand Billy se retirera. Et Marianna serait heureuse comme un pinson d'avoir Jasper tout près d'elle. Cette petite fille a été tellement efficace avec Lilias. »

« Sans elle, ta Lilias aurait probablement perdu le bébé », a dit le docteur Graham.

J'ai encore jeté un autre coup d'œil. David pleurait. Du moins, j'ai vu que ses épaules étaient agitées de soubresauts. Quand j'ai dit ça à Tom, il n'a pas voulu me croire.

Papa a dit qu'il allait écrire aux gens de chez le docteur Barnardo pour faire avec eux les arrangements nécessaires afin d'obtenir la garde de Marianna et de Jasper. Il a même dit qu'il pourrait aller jusqu'à adopter Jasper plutôt que de le laisser retourner chez son bourreau.

Puis je crois qu'ils se sont rendu compte que Jasper était épuisé. Ils se sont aussitôt retirés. David n'avait pas dit un traître mot. Les Johns vont garder Jasper chez eux en attendant que papa reçoive des nouvelles des gens de chez le docteur Barnardo.

Tom et moi, nous avons attendu que la voiture soit rendue hors de vue pour sortir de notre cachette. Nous étions tellement absorbés par le souvenir de ce que nous avions vu et entendu que nous n'avons pratiquement pas dit un mot en retournant à la maison.

Plus tard dans l'après-midi, papa et le docteur Graham se sont rendus en voiture à la ferme de monsieur Stone, sans en avertir qui que ce soit. Papa nous a dit, par la suite, que l'endroit était crasseux et mal tenu. Monsieur Stone était là. Il y avait aussi un chien qui rôdait autour, qui n'avait plus que la peau et les os.

« J'ai montré à ce bandit le rapport que j'avais écrit, décrivant les blessures de Jasper, et je l'ai averti que s'il avait le front de revenir chez moi pour chercher Jasper, j'irais voir la police pour lui remettre ce rapport. »

Il a dit que monsieur Stone avait éclaté de rage et s'était

mis à crier et à les menacer, mais il était seul contre deux et ça l'avait un peu refroidi. Papa et le docteur Graham étaient repartis seulement quand monsieur Stone avait accepté de signer une déclaration, dans laquelle il promettait de ne plus jamais faire de demande pour avoir un orphelin chez lui.

« Je devais m'assurer que jamais plus personne n'aurait à souffrir entre ses mains », a dit papa à maman.

« Mais qu'arrivera-t-il si cet enfant en garde des séquelles durant toute sa vie? » a dit maman, la voix toute tremblante.

Papa lui a répondu que les enfants, grâce à Dieu, sont très résistants.

« Avec de bons soins et une bonne alimentation, Jasper sera redevenu comme tous les autres petits garçons, d'ici le premier septembre », a-t-il ajouté.

J'avais oublié que l'école allait recommencer bientôt. La vision de monsieur Grigson avec son grand nez en train de regarder Jasper de haut me donne mal au cœur. Il ne sera pas dans notre classe, car il a seulement huit ans, mais monsieur Grigson est le directeur de l'école et il s'occupe donc de tous les enfants. Tom a réussi son examen d'entrée à la grande école et il ne sera plus avec nous. Cher journal, je vais t'avouer à toi qu'il va me manquer terriblement.

J'ai dit à papa que j'aurais aimé qu'ils aient sauvé aussi le chien mort de faim.

« Écoute, Victoria, a dit papa. Je ne peux pas prendre sous mon toit tous les malheureux de la planète. Si cela peut te consoler, j'ai vu le chien et je crois bien qu'il ne lui reste pas grand temps à vivre. C'est un véritable squelette ambulant. »

C'était à mon tour de me coucher en pleurant. Ronchon a

essayé de me réconforter en me léchant la joue de sa petite langue veloutée. Mais ça n'a fait qu'empirer ma tristesse. Finalement, il s'est tassé tout contre moi et il s'est endormi en ronflotant doucement. Il se fait dorloter depuis qu'il est né, tandis que l'autre chien… Je ne suis plus capable d'écrire.

Samedi 7 août

Le bébé n'est toujours pas né. Les douleurs n'ont pas recommencé. J'ai demandé pourquoi à Marianna, et elle m'a simplement dit que ça pouvait arriver.

« Elles vont recommencer, ne t'inquiète pas », a-t-elle dit.

Nous avons mangé des tartines avec le thé. Marianna a obligé papa à manger plus, mais, avec moi, elle n'a pas essayé. Ils ont l'air préoccupés. Je me sens impatiente au point d'exploser. Je ne savais pas que ça pouvait durer si longtemps.

Dimanche 8 août

Il ne s'est rien passé aujourd'hui. On dirait que nous sommes tous là à tourner en rond en retenant notre respiration.

Lundi 9 août, le matin

Les douleurs de maman ont recommencé vers dix heures, hier soir. Je suis restée éveillée toute la nuit. Je n'avais jamais fait ça. Mes yeux se sont peut-être fermés pendant quelques minutes, de temps en temps, mais j'ai entendu notre horloge grand-père sonner toutes les heures.

Maman gémit. Je ne supporte pas de l'entendre. Mais on

n'a pas le choix. J'ai essayé de parler au docteur, mais il m'a seulement dit de ne pas m'inquiéter, comme si je n'avais que cinq ans et que je ne comprenais rien à ce qui se passait. Évidemment, je ne saurais rien si Marianna ne m'avait pas tout expliqué. J'ai été bien surprise quand elle me l'a raconté, mais je suis contente maintenant. On raconte tellement de mensonges aux filles, au sujet des bébés et des naissances.

J'écris n'importe quoi pour m'empêcher de pleurer. Mais voilà que je me mets à pleurer quand même. Je n'arrive plus à voir assez bien pour écrire, et mes larmes font des taches en tombant sur l'encre.

Oh, bébé, dépêche-toi!

L'après-midi

Madame Johns est arrivée vers midi et depuis, ça va beaucoup mieux. Le docteur l'écoute. Elle semble savoir exactement tout ce qu'il faut faire.

« Ne te désole pas tant, Victoria, a-t-elle dit en me souriant et en me caressant les cheveux. J'ai quatre enfants, et ils sont tous en vie et débordants d'énergie. Nous allons bientôt faire venir au monde ce petit-là sans problème. Si elle ou il n'avait pas décidé de se présenter du mauvais côté, il serait déjà là à l'heure qu'il est. »

Je me sentais gênée, mais j'ai demandé comment ils se présentent normalement.

« La tête en premier, a-t-elle dit. Comme pour plonger dans le monde. Mais celui-ci arrive par l'autre bout et c'est un peu plus difficile. »

J'ai la nausée quand je pense à comment il sort.

Je suis incapable d'entendre maman hurler. Je n'aurai jamais de bébé. Jamais, au grand jamais!

Lundi... non, mardi 10 août, deux heures du matin

Je n'arrive pas à y croire. J'ai une petite sœur! Elle est très petite, mais elle est vivante. Marianna dit qu'elle n'est PAS petite du tout pour une nouveau-née. Papa l'a pesée, même si c'était au beau milieu de la nuit. Elle fait sept livres. Elle est rouge et plissée, et elle a des mains de poupée. Mais elle peut déjà serrer très fort mon doigt.

Je devrais tomber de sommeil, mais je me sens comme si plus jamais de ma vie, je n'aurai besoin de dormir. Papa aussi est excité. Quand il est sorti de la pièce et qu'il nous a annoncé la nouvelle, il avait un grand sourire fendu jusqu'aux oreilles.

« Une sœur pour Victoria Joséphine Cope, a-t-il dit. Conformément à vos désirs! »

J'ai dit à Marianna que ma sœur me faisait penser à un bouton de rose.

« Elle est peut-être rose, mais ce n'est pas une fleur, a dit Moineau. C'est une vraie personne, et tu vas voir. Tu n'as aucune idée de ce que peut demander un bébé comme travail. Ni comme ça peut sentir mauvais. »

Normalement, je me serais fâchée, mais j'ai vu des larmes dans ses yeux et je me suis alors souvenue qu'elle aussi, elle avait une petite sœur. Je crois que je ne comprenais pas à quel point le souvenir d'Émilie Rose lui était douloureux jusqu'à ce que je prenne notre bébé dans mes bras.

Papa m'a emmenée voir maman avant de m'envoyer me

coucher. Elle était très pâle, avec deux grosses taches rouges sur les joues. Ses cheveux étaient défaits et ils avaient l'air mouillés. Mais elle souriait de son plus beau sourire.

« Elle est belle, tu ne trouves pas, Victoria? » a-t-elle chuchoté.

J'ai hoché la tête. Si j'avais essayé de parler, j'aurais fondu en larmes.

C'est vraiment très étrange, cher journal, comme on peut se sentir pleine de joie et de tristesse en même temps. C'est difficile à comprendre. Mais on dirait que c'est normal.

J'ai sommeil, finalement. Bonne nuit.

Onze heures du matin

Quand je me suis réveillée, il était presque dix heures! Je n'arrivais pas à le croire. Papa m'a dit que maman dormait, alors j'ai mangé un énorme déjeuner. Ça faisait des jours que j'avais perdu l'appétit.

Puis maman s'est réveillée et je suis allée la voir, et ma petite sœur aussi. Maman m'a dit qu'elle voulait que ce soit moi qui lui donne son nom. Nous avions discuté des prénoms, mais maman ne voulait pas en choisir un. Elle pensait que ça pouvait porter malheur. Elle avait seulement dit qu'on devait attendre de voir le bébé en personne pour lui choisir un nom qui lui convienne vraiment. Et maintenant, elle me confie ce choix à MOI.

« Pas Jézabel, m'a-t-elle dit. Mais je sais que tu vas trouver le bon prénom. »

Puis papa a dit que nous devions la laisser se reposer.

J'ai une petite sœur!

C'était tellement surprenant de se réveiller et d'entendre un bébé pleurer. Il m'a fallu quelques secondes pour comprendre ce que j'entendais. Sa voix sonnait un peu comme celle d'un chaton perdu. Mais elle ne pleure pas beaucoup. Elle DORT!

J'ai essayé de me décider pour un prénom à lui donner, mais ce n'est pas si facile. Le nom de la petite sœur de Marianna – Émilie Rose – me revenait souvent à l'esprit. Ça me semble bien convenir à notre bébé, mais je pensais que Marianna n'aimerait pas qu'on l'utilise. Finalement, je lui en ai parlé.

Elle m'a regardée avec de grands yeux. Je les ai vraiment vus s'agrandir et devenir tout ronds. Puis elle m'a serrée très, très fort dans ses bras.

« Ma mère en serait très honorée », a-t-elle dit.

Papa et maman trouvent que c'est très joli. Alors ma petite sœur s'appelle officiellement Émilie Rose, même si déjà, nous l'appelons tous Rosie. C'est vrai, elle est tellement petite. Papa pourrait la tenir dans le creux de ses mains. Mais il ne le fait pas. Il faut la garder bien au chaud et, quand on la tient, le faire aussi délicatement que si elle était une coquille d'œuf.

Papa a souri quand je lui ai dit le prénom.

« J'avais horriblement peur que tu l'appelles Jubilée », m'a-t-il dit.

Je suis contente qu'elle se soit décidée à arriver avant le mercredi. Les enfants nés ce jour-là sont censés être malchanceux. Mais ceux du mardi sont pleins de grâce. Ça ne paraît pas encore, mais en grandissant, elle va devenir pleine de grâce.

Jeudi 12 août, le soir

Marianna avait entièrement raison. Les bébés ne sont pas comme des boutons de rose. Ils demandent beaucoup de travail. Nous devons non seulement nous occuper d'elle, mais aussi de tous ceux qui viennent pour la voir : madame Jordan et Cousine Anna, mon oncle Pierre et ma tante Gwen, grand-maman et grand-papa, madame Cameron, le pasteur.

« Dans des circonstances comme celles-là, il faut s'attendre à voir arriver la terre entière », a dit maman.

Je suis fatiguée de me faire dire que j'ai perdu ma place de petite dernière et d'expliquer que ça ne me dérange pas. Je n'en peux plus de faire des sourires tandis qu'ils continuent de me taquiner. Je l'aime vraiment. Énormément.

Bonne nuit, cher journal.

Vendredi 13 août

Encore aujourd'hui, nous n'avons fait que nous occuper du bébé. Ronchon est jaloux.

Samedi 14 août, le soir

J'ai bercé Rosie pour la rendormir. Avec moi, elle s'endort à tous les coups. Elle est tellement petite et toute chaude et mignonne à croquer. Mais maintenant, c'est moi qui ai besoin de dormir.

Dimanche 15 août

Le bébé s'est rendormi! Papa et les garçons sont allés à l'église, mais moi, je suis restée à la maison pour aider Marianna. En ce moment, maman et Rosie dorment toutes les deux, et Moineau est en train de cuisiner quelque chose de spécial.

« Va-t-en, Victoria, m'a-t-elle dit en souriant. Je dois réfléchir. »

J'étais contente, car j'avais envie d'écrire.

Les bébés ne sont pas juste mignons. Le nôtre a sans cesse besoin qu'on le change, qu'on le nourrisse ou qu'on le berce. Toutes ces couches doivent ensuite être lavées, séchées, puis pliées. Marianna les repasse au fer! Rosie nous réveille aussi. Ce n'est pas une enfant calme. Maman dit qu'elle va s'assagir.

Je l'aime tellement!

Jeudi 19 août

J'ai déposé mon journal au fond du hamac et quelqu'un l'a pris et je ne le trouvais plus nulle part. Il est finalement réapparu sous mon lit. Je sais que je ne l'ai pas laissé là. Je soupçonne Tom. Je vais sauter les journées du 16, du 17 et du 18 août. Il ne s'est rien passé de vraiment intéressant. Un bébé, ça finit par être moins excitant, mais ça vous tient au cœur aussi fort que lorsqu'il vous serre le doigt.

Vendredi 20 août

Aujourd'hui, David est allé chercher Jasper en voiture. Il était allé visiter Lou Johns régulièrement et il avait pu passer du temps avec Jasper. Mon grand frère semble avoir changé. Il est encore loin d'être parfait. Il m'a appelée « Miss Vicki Chichi » ce soir, parce que je ne voulais pas manger mes navets.

Le pire, c'est que je suis certaine qu'il déteste les navets, lui aussi.

Les cheveux de Jasper sont en train de repousser, toujours aussi flamboyants. Ses joues retrouvent peu à peu leur rondeur et leurs taches de rousseur aussi. Ses os ne sont plus saillants, et il a retrouvé son sourire radieux.

Moineau est heureuse comme un pinson de l'avoir retrouvé et de ne plus avoir besoin de le cacher. Il a la voix rauque et il est encore un peu effarouché. Il va aller à l'école en septembre. Ils ont parlé d'inviter le professeur chez nous pour qu'il rencontre Jasper, mais ça ne s'est finalement pas fait, je ne sais pas pourquoi.

Maman lui lit des histoires quand Rosie dort. Elle doit se reposer encore une bonne partie de la journée, et ils ont beaucoup de plaisir à se plonger ensemble dans la lecture de nos vieux livres, à Tom et à moi. Quand ils ont lu le livre qui raconte l'histoire d'un orphelin, ils ont pleuré tous les deux, à cause de la ressemblance avec les orphelins de chez le docteur Barnardo.

La présence de Jasper a changé encore d'autres choses dans la famille. Marianna est tout le temps autour de lui! Elle est souvent auprès de maman et de Rosie aussi. Elle n'a pratiquement plus le temps de bavarder avec moi.

J'ai l'air d'être jalouse. Mais ce n'est pas vraiment ça. Je me sens juste un peu trop seule, par moments.

Mais il y a des tonnes de choses pour m'empêcher de trop y

penser. Dans quelque temps, nous irons chez grand-maman et grand-papa Cope pour aider à faire les récoltes. David est encore chez eux la plupart du temps. Quand il revient chez nous, il est tellement tranquille qu'on ne le reconnaît plus. Incroyable, mais je crois que l'ancien David me manque!

Jeudi 26 *août*

Je suis descendue avec mon journal et je l'ai perdu. Marianna l'a retrouvé ce matin, sous la pile des vêtements à laver du bébé. Ça aurait dû me manquer terriblement, mais ces jours-ci, je suis tellement occupée que j'étais un peu soulagée de ne pas le trouver.

Mais maintenant, cher journal, tu es de nouveau avec moi, et je vais faire plus attention à toi.

Quand Émilie Rose aura grandi et qu'elle trouvera ce journal, elle voudra savoir ce qui s'est passé au cours des journées pendant lesquelles je n'ai pas pu écrire. Désolée, Rosie. La réponse, c'est : pas grand chose.

J'essaie de montrer à Jasper comment lire et compter un peu mieux, avant que l'école recommence. Il n'a pas l'air tout à fait remis encore. Et son bras était trop mal cassé pour pouvoir être bien guéri, alors il risque que les autres garçons se moquent de son infirmité. Mais il aura Roberta et moi pour le défendre.

J'ai trouvé le poème d'où la mère de Marianna a tiré son prénom. Nous avons tellement ri! La Marianna de Tennyson ne ressemble pas du tout à Moineau. Toujours à geindre et à pleurnicher. Un vrai robinet, comme dirait Tom. Et c'est comme ça pendant des pages et des pages. Moineau en était tellement découragée qu'elle a arrêté sa lecture en plein milieu, mais moi, je pensais que la fin pouvait en être heureuse, et j'ai continué. Pour rien.

Les ouvriers vont venir installer la salle de bain dès que maman sera assez bien. Ils vont la faire dans la petite salle de couture. Il va y avoir une baignoire avec de l'eau chaude et de l'eau froide. J'ai du mal à m'imaginer que c'est vrai.

Vendredi 27 août

Aujourd'hui, Marianna Wilson a eu treize ans. Elle dit qu'elle est une femme maintenant. Ça ne me semble pas évident du tout.

Bon anniversaire, Moineau!

Je lui ai préparé un gâteau au caramel, et il n'était pas trop raté. Il a mal levé au centre, mais il était quand même très bon.

Dimanche 29 août

Après le jour de l'anniversaire de Moineau, j'ai laissé passer encore une autre journée sans rien écrire. J'ai juré de faire mieux que ça, mais on dirait que je n'ai jamais assez de temps. Je suis trop fatiguée. Et Moineau et moi, nous sommes toujours à bavarder. Sans oublier que, de s'occuper d'un bébé, c'est beaucoup de travail.

Ronchon est tellement jaloux du bébé! Je me demande s'il pense que Rosie est comme un chiot. Il va voir Jasper pour se faire consoler. Mais quand maman pose Rosie sur une couverture, Ronchon s'approche d'elle doucement et il reste à côté d'elle comme s'il voulait la réchauffer avec son souffle.

Tout semble assez ennuyeux et ordinaire, ces derniers temps. Plus de Jasper à cacher! Plus de bébé à attendre! Plus de Tante Lib pour mettre le feu aux poudres. Je suis contente que tout ça soit fini, mais, étrangement, ça me manque. C'est tellement insipide, d'écrire jour après jour dans mon journal des choses comme : « On est allés aux mûres ».

Pourtant, j'aime bien aller cueillir des mûres. C'est apaisant. Et j'adore voir Marianna qui est en train de redevenir heureuse et Jasper qui recouvre la santé. Il est heureux aussi. Il ressemble plus au petit garçon que j'ai aperçu pour la première fois à la gare, sauf que maintenant, il sourit tout le temps.

L'école recommence dans seulement deux jours. Je vais donc avoir de nouvelles aventures à te raconter, cher journal.

Lundi 30 août

Ce soir, je vais prendre un bain dans notre nouvelle baignoire, et elle va se vider de son eau par un tuyau. Étonnant!

Maintenant qu'elle a treize ans, Marianna a demandé à maman si elle pouvait cesser d'aller à l'école. Elle dit qu'elle veut s'occuper d'Émilie Rose, et je sais que ce n'est qu'une partie de la vérité. Je sais qu'elle veut ainsi échapper aux railleries de Nellie Bigelow et de toutes les autres qui méprisent les orphelins. Elles ne sont pas très nombreuses, mais leurs regards sarcastiques et méprisants sont blessants.

Maman lui a dit qu'elle devait continuer d'y aller au moins pour la demi-journée. Le midi, elle pourra rapporter ses devoirs à la maison, et maman va l'aider.

« Tu as une bonne tête sur les épaules, a-t-elle dit. C'est

préférable pour toi de continuer d'aller à l'école, Marianna. Et Jasper aura besoin de toi, j'en suis sûre. Tu dois bien cela à ton frère, d'être là-bas près de lui, et je dois à ta mère de faire de mon mieux pour toi. »

Je ne sais pas ce qu'elle voulait dire exactement.

Elle a fait apprendre par cœur à Marianna le psaume 23, avec l'air sur lequel le chantent les Écossais, et elle lui a dit de le chanter quand elle avait besoin de se redonner du courage.

Marianna le chante tout le temps, en insistant toujours sur la phrase « Vous me dressez une table sous les yeux mêmes de mes ennemis ».

Elle le chante sans arrêt. Je lui ai dit qu'elle était aussi mauvaise que Peggy avec ses rengaines, mais ça ne l'a pas démontée du tout.

« À la première occasion, je te ferme la bouche avec ma main », lui ai-je dit.

« À la place, bouche-toi donc les deux oreilles avec tes mains, Miss Vicki Chichi », a-t-elle répliqué.

Elle a pris du poil de la bête. Façon de parler, car elle n'est pas un animal et elle n'est pas poilue non plus. Mais quand elle est arrivée, en mai dernier, elle ne m'aurait jamais parlé comme ça. Mais nous n'étions pas des amies, alors que maintenant, nous sommes presque comme des sœurs.

Mardi 31 août

L'école recommence demain. Je suis contente. Je rouspète quand quelqu'un en parle, mais, au fond, je suis bien contente. J'ai de nouveaux vêtements : une robe de tissu écossais, avec un col blanc. J'ai aussi un nouveau coffret à crayons.

Septembre

**Mercredi 1er septembre,
jour de la rentrée**

Monsieur Grigson est parti! Youpi!

Nous avons une nouvelle maîtresse. Elle s'appelle mademoiselle Abbot. Elle est jolie, mais très grande et très forte. Les garçons n'osent même pas lui jouer des tours. Elle marche dans la classe, la baguette à la main, et certains en ont déjà reçu un coup sur la tête. Pas fort, bien sûr. Juste assez pour les ramener à l'ordre.

Il y a trois nouveaux élèves en plus de Jasper, et parmi eux, il y a une orpheline, Molly. Elle est deux fois plus grande que Marianna, avec de larges épaules et de grosses mains toutes rouges et de petits yeux gris perçants. Elle a les cheveux de la couleur du caramel, mais personne n'ose l'appeler « Caramel », tu peux me croire!

Elle est tranquille comme un sphinx quand la maîtresse est là, mais dès qu'il n'y a plus un adulte aux alentours, le chat sort du sac!

« Tu n'es jamais sortie du Canada, je suppose. Ce n'est pas de ta faute. Mais tu as encore beaucoup à apprendre », a-t-elle dit à Nellie en la regardant de la tête aux pieds.

« Dis donc, TOI, où as-tu tant voyagé comme ça? » lui a demandé Nellie d'un ton railleur.

« Je suis née à Dublin, lui a répondu Molly. J'ai habité à Liverpool et à Londres. J'ai vu la reine des tonnes de fois. Peut-être pourras-tu voyager quand tu seras grande. »

J'ai été surprise de la voir si insolente, et Marianna, tout étonnée, avait les yeux ronds comme des billes. J'avais du mal à croire qu'une orpheline ose parler comme ça à Nellie. Nellie a essayé de trouver quelque chose de cinglant à lui répondre, mais soudain, Moineau a éclaté de rire.

« Dans quel foyer du docteur Barnardo étais-tu? Chez les filles à la campagne ou simplement dans la maison de la chaussée de Stepney? » lui a demandé Molly, tout en tournant le dos à Nellie.

Elles se retirent ensemble de temps en temps. Roberta et moi, nous nous joignons souvent à elles, même si elles sont différentes de nous à cause des temps durs qu'elles ont vécus, et pas nous.

Vendredi 3 septembre

Jasper est dans l'autre classe, mais nous le voyons tous les jours à la récréation. Il est devenu ami avec Tobi Price, qui est un gentil petit garçon sage en apparence, mais un solide gaillard en réalité. Après quelques batailles, plus personne n'a osé les embêter. Jasper est assez traître au combat, mais il est tellement petit que tout le monde l'encourage quand même. Et Tobi est tout aussi mauvaise graine!

Je pensais que certains parmi les garçons, et en particulier Jimmy Bigelow, iraient bavasser à la maîtresse, mais il l'a fait une seule fois. Elle l'a puni pour le reste de la récréation, pour avoir rapporté.

Nous, les quatre filles, Molly, Marianna, Roberta et moi, nous sommes de loin les plus fortes de l'école maintenant. Les autres n'osent pas s'approcher. Molly est tellement GRANDE et FORTE, et elle n'a peur d'aucune des autres filles. Elle ne sait pas bien lire et elle ne sait faire que les additions sans retenues. Mais ça n'a pas l'air de la déranger pour deux sous.

« Je vais l'apprendre par moi-même, a-t-elle dit. Je sais très bien me débrouiller dans la vie sans l'avoir appris dans les livres, mais j'aimerais encore apprendre des choses. »

Mademoiselle Abbot a demandé aujourd'hui si certains parmi nous aimaient écrire des histoires. J'ai levé la main. Elle a demandé à voir quelques-unes de mes œuvres.

Samedi 4 septembre

J'ai dit à maman que mademoiselle Abbot avait demandé à voir de mes textes.

« C'est magnifique, Victoria! a-t-elle dit. Que vas-tu lui apporter? Choisis ce que tu as de mieux. »

J'ai pris quelques secondes pour réfléchir, et ma réponse m'a surprise moi-même.

« Mes meilleurs textes sont dans mon journal », lui ai-je répondu.

« Bien. Alors apporte-le-lui. Mais crois-tu que je devrais le lire, avant? »

C'était drôle. Avant, j'avais peur qu'elle le trouve et qu'elle le lise. Mais quand elle a dit ça, je me suis rendu compte que j'avais envie de le lui montrer depuis longtemps. Je vais te prêter à maman, cher journal, juste avant d'aller me coucher.

Mais maintenant, je me rappelle certaines choses que j'ai écrites. Je ne peux pas revenir en arrière pour raturer des passages, car elle s'en apercevrait tout de suite. Sait-elle que papa la voit comme un beau grand voilier? Est-ce que j'ai écrit qu'elle n'avait aucun sens de l'humour? Est-ce que j'ai raconté des secrets que Marianna ne voudrait surtout pas que maman apprenne? Je me sens un peu mal. Je crois qu'il faut que je te prête tout de suite, cher journal, avant de devenir tellement inquiète que je devrai aller lui dire que j'ai changé d'avis. Je crois que je vais prendre un jour de congé d'écriture de journal, jusqu'à ce que je te récupère.

Lundi 6 septembre,
jour de la fête du Travail, le soir

Nous avons eu congé d'école, aujourd'hui. Juste après le déjeuner, maman m'a remis mon journal.

« Victoria Cope, tu es née avec le talent d'écrivain, a-t-elle dit. Je dois t'avouer que tu vas trouver des traces de larmes sur certaines pages. Et tu m'as aussi fait éclater de rire, même si je suis de nature sérieuse. J'ai montré quelques passages à ton père, et il veut être le prochain à tout le lire. »

J'étais tellement flattée que je ne savais pas quoi dire. Je me suis sentie rougir jusqu'à la racine des cheveux.

Mardi 7 septembre

Jasper était tout fier de me dire qu'il avait été appelé au tableau, ce matin, et qu'il avait eu toutes ses additions bonnes. C'est normal. Nous les avons assez repassées. Demain, je vais prêter mon journal à mademoiselle Abbot.

J'avais prévu ne rien écrire jusqu'à ce que mademoiselle Abbot me rende mon journal, mais je dois quand même le faire. Je vais écrire sur une feuille volante, et je recopierai dans mon journal ensuite.

Les gens de chez le docteur Barnardo ont répondu et ils ont donné la permission à papa et à maman de garder chez nous Marianna et Jasper. Monsieur Stone a reçu l'ordre d'envoyer le coffre à vêtements ici, mais il ne l'a pas fait. Jasper voulait que papa laisse tomber.

« Non, a dit papa. Tu n'as déjà presque rien, mon garçon. Ce coffre t'appartient. Il doit le rendre. »

Un policier s'est rendu avec lui chez monsieur Stone, et ils n'ont trouvé personne. Le chien avait été recueilli par les voisins, a dit papa. Je lui ai demandé de se renseigner à son sujet et il m'a dit, en souriant, qu'il essaierait. Ils ont retrouvé le coffre de Jasper dans la grange. Personne ne l'avait jamais ouvert. La ferme va être saisie par la banque, pour mauvaises créances.

« Qu'est-ce qu'une banque va faire avec une ferme? » ai-je demandé à papa.

« La revendre au plus offrant », a-t-il dit.

Selon les voisins, monsieur Stone était parti s'installer plus au sud.

Papa avait aussi demandé des nouvelles d'Émilie Rose Wilson, la sœur de Marianna. Les gens de chez le docteur Barnardo ont répondu qu'elle avait été adoptée par une bonne famille canadienne, qui la chérissait et qui veillait à ce qu'elle ait ce qu'il y a de mieux. Ils n'ont pas le droit de divulguer quelque information que ce soit au sujet de cette famille, ni même de nous dire où elle habite. Ils ont aussi dit que madame Wilson était morte.

Marianna a pleuré un peu, mais je pense qu'elle avait deviné la vérité depuis longtemps. Je crois aussi que notre bébé l'aide à guérir de ses malheurs. De savoir que sa sœur va bien l'a un peu réconfortée, aussi.

« Tu ne peux rien faire de plus, mon enfant, lui a dit maman. Prie Dieu pour qu'il la bénisse et la protège, et serre bien fort sur ton cœur notre petite. Jasper aussi a besoin de tout ton amour. »

« Oui, madame », a dit Marianna.

Maman l'a regardée.

« Je crois qu'il est temps que Jasper et toi, vous nous appeliez tante Lilias et oncle Alastair, a-t-elle dit, l'air pensif. Nous avons vécu bien des choses ensemble. Je ne me sens plus comme une "madame", face à toi. »

Moineau est devenue rouge comme une tomate et elle lui a fait un sourire en coin.

« Oui, madame », a-t-elle répondu.

Mais Jasper s'y est mis tout de suite. Généralement, il appelle maman « ma tante Lili », et papa « mon oncle Al ». Ça sonnait drôle au début, mais plus maintenant.

Cousine Anna et madame Jordan sont venues pour le souper, ce soir. Madame Jordan a conduit le cabriolet qui les a amenées.

Madame Jordan et Jasper se sont regardés. Elle aurait dû mieux le protéger, mais je suppose qu'elle était trop gênée. J'allais écrire « trop peureuse », mais j'avais moi-même peur de cet homme, et je ne me suis jamais retrouvée seule avec lui. Elle a tapoté l'épaule de Jasper, et il a baissé la tête en rougissant un peu. Mais aucun des deux n'a dit un seul mot. Il est encore un orphelin, à ses yeux.

Dimanche 12 septembre

Émilie Rose Cope a été baptisée ce matin. Elle a très bien fait ça. Elle a sucé son pouce et elle a gazouillé tout le long de la cérémonie. Un des autres bébés hurlait comme un perdu et il a donné un coup de poing au pasteur, sur le menton.

Lundi 13 septembre

Mademoiselle Abbot m'a dit ce matin qu'elle avait lu mon journal. Elle a dit qu'elle voulait le relire encore une fois et qu'ensuite, elle m'en reparlerait.

« C'est un texte remarquable pour une fille de ton âge, a-t-elle dit. Tu as tellement bien réussi à m'intéresser à tout ce qui se passait chez toi que je n'ai pas pu regarder de plus près ton style d'écriture. »

J'ai écrit un poème. Je l'ai terminé aujourd'hui. Du moins, je le crois. Chaque fois que je pense l'avoir fini et que je me mets à le recopier avec ma plus belle calligraphie, je repère un mot qu'il faut changer. Je vais le recopier ici, et je donnerai l'autre copie à la maîtresse. Je l'ai fait lire à Tom. Il fallait que je sache ce que quelqu'un d'autre pouvait en penser. Il m'a regardée avec de grands yeux.

« Vic, c'est aussi bon que les poèmes de l'anthologie, a-t-il dit d'un ton étonné. Est-ce que papa t'a aidée? »

« Non », ai-je répondu.

J'étais fâchée pendant quelques secondes, puis je me suis rendu compte qu'il venait de me dire que mon poème était tellement bon qu'il pensait qu'un adulte m'avait aidée à l'écrire. C'était un compliment, pas un reproche. Je me suis sentie aussitôt rougir jusqu'à la racine des cheveux.

Maintenant, je vais le recopier dans tes pages, cher journal.

Action de grâces

Victoria Joséphine Cope

Merci, mon Dieu, pour la douce chanson du vent
Dans le vert feuillage des trembles frémissants.
Merci pour le joli murmure du ruisseau.
Merci pour le sourire de l'enfant au berceau.

Merci pour la lune qui, de ses blancs rayons,
Éclaire nos nuits, par la forêt et par les monts.
Merci pour la douceur du soir, à la brunante.
Merci pour la pluie du matin, rafraîchissante.

Merci pour les doux yeux qui se posent sur moi
Et m'enveloppent de tant d'amour et de fierté.
Merci encore pour ceux sur qui je peux compter,
Merci, oh! mon Dieu, de les garder sous mon toit.

Il m'a fallu beaucoup de temps pour l'écrire, et je sens qu'il est loin d'être parfait. Je pourrais y ajouter encore bien des strophes. Je voulais d'ailleurs y ajouter quelques mots pour Ronchon, mademoiselle Abbot, Émilie Rose et maman. En fait, j'en parle quand même indirectement. Je cherche un mot pour qualifier le ruisseau. Peut-être « sautillant » ?

Écrire de la poésie, c'est plus difficile que d'écrire son journal et pas aussi amusant que de raconter une histoire. Mais j'y trouve une autre sorte de satisfaction. Il faut travailler le texte tellement plus. C'est difficile à expliquer. Comme l'autre fois, quand papa m'a demandé ce que je pensais du monde qui nous entoure et que, tout ce que j'ai pu lui répondre, c'était : « merveilleux ».

Mais, à plusieurs reprises pendant les derniers mois, j'ai appris que le monde pouvait aussi être triste et dangereux, où des gens comme Cousine Anna peuvent grandir auprès d'une mère qui ne veut pas d'eux, où une femme comme la mère de Marianna et de Jasper doit abandonner ses enfants parce qu'elle n'a pas assez d'argent pour leur acheter de quoi manger, où une fille comme Nellie Bigelow peut se montrer cruelle sans que personne la réprimande. Et la liste est encore longue. Ce n'est pas comme ça que j'imaginais le monde.

Mais c'est MON monde, et je suis reconnaissante pour toutes les merveilles qui s'y trouvent aussi, comme mon amie Moineau et ma petite sœur Émilie Rose.

Il ne reste plus que quelques pages encore blanches dans mon journal. Quand j'aurai fini de recopier ceci, je crois qu'il n'en restera plus une seule. Je ne comprends pas comment des gens peuvent faire, pendant toute une année, pour remplir un seul cahier. Mon écriture n'est ni petite ni soignée, évidemment, mais la plupart des gens n'ont pas autant de choses à raconter que moi.

J'allais demander un nouveau cahier pour mes étrennes, mais je viens de tirer mes couvertures et de découvrir une surprise sous mon oreiller. C'est un beau cahier tout neuf, avec un ruban pour marquer la page, où je pourrai continuer d'écrire mon journal. Et maman a écrit en première page :

À ma très chère fille,
Victoria Joséphine Cope,
écrivaine en herbe.
Avec tout mon amour.

Maman

Il n'y a pas que notre reine à se réjouir, cette année!

Épilogue

Victoria Cope a écrit son journal durant toute sa vie et elle a publié son premier livre à l'âge de cinquante ans. Elle avait vingt-quatre ans quand elle a épousé un pasteur de l'Église presbytérienne. Le couple est alors parti en Chine, comme missionnaires. Ils ont eu une fille et quatre garçons. Victoria écrivait des histoires pour eux, et ils les relisaient sans cesse, sans jamais s'en lasser. C'étaient toujours des histoires pleines d'aventures et de rebondissements. Des années plus tard, sa fille Marianna-Rose a envoyé ces histoires à un éditeur, qui les a fait paraître sous forme de feuilleton dans un magazine pour les jeunes. Les garçons comme les filles en attendaient toujours le prochain numéro avec impatience.

Les enfants de Victoria ont été envoyés au Canada pour leurs études. En leur faisant ses adieux, Victoria pensait avec compassion à la mère de Marianna qui avait dû laisser ses enfants chez le docteur Barnardo. Victoria a organisé elle-même une école pour les orphelines chinoises, et ses élèves la chérissaient. Quand son mari est mort, elle est revenue au Canada et elle s'est installée dans une petite maison de Guelph. Là, elle a raconté encore d'autres histoires captivantes à ses petits-enfants.

Marianna a appris le métier de sage-femme et elle est partie vers l'Ouest pour travailler dans les villages des Prairies. Elle était réputée pour le grand nombre de bébés en parfaite santé qu'elle avait mis au monde. Jasper est resté auprès d'elle jusqu'à ce qu'il rencontre sa douce moitié, qui adorait ses cheveux roux et ses yeux pétillants de malice.

Marianna ne s'est jamais mariée. Elle s'était fiancée, mais son fiancé est mort au combat dans les Flandres, au cours de la Première Guerre mondiale.

Ni elle ni Jasper n'ont réussi à savoir ce qu'il était advenu de leur petite sœur. Mais Marianna est toujours restée proche d'Émilie Rose Cope et elle est toujours restée liée à Victoria, même quand tout un océan les séparait.

David ne s'est pas marié, mais Tom l'a fait. Sa femme et lui ont eu trois filles, dont il était extrêmement fier.

David et Tom se sont tous les deux engagés dans les troupes, durant la Première Guerre mondiale. Tom est devenu pilote du *Royal Flying Corps* et il est revenu de la guerre sans une égratignure. Mais David a reçu un éclat d'obus et il est resté à l'hôpital pendant des mois, une fois la guerre terminée. Il ne s'en est jamais complètement remis. Ses années passées dans les tranchées l'ont guéri de son étroitesse d'esprit, mais elles l'ont laissé infirme à vie. Il est mort d'une pneumonie alors qu'il venait juste d'avoir quarante-sept ans.

Victoria et son mari ont appelé leur fils aîné David.

Note historique

Aimerais-tu pouvoir retourner dans le passé? La plupart des gens répondent sans hésiter : oui, si c'était possible. Mais, avec un peu d'imagination et du goût pour les énigmes, on peut presque y parvenir. Laisse-moi t'y emmener par la magie des mots.

On est en 1897, et tu te trouves dans Drury Lane, dans le centre de Londres, en Angleterre. Tu as tellement faim que tu te sens très faible. Hier midi, tu as mangé le dernier bout de pain qui te restait et tu ne sais pas où t'en procurer d'autre. Tu vas pieds nus, par une froide journée pluvieuse de novembre. Tu portes une robe tout usée et un vieux châle, mais le vent glacial passe au travers et te glace jusqu'aux os. Tes cheveux sont sales et pleins de poux. Le mal de gorge et une mauvaise toux te font souffrir. Tu te sens terriblement seule, très malade et désespérée.

Que pourrais-tu faire? Tu ne te connais aucune parenté. Tu pourrais te présenter à l'asile des pauvres, mais tout le monde dit qu'il vaut mieux éviter cela. De toute façon, là-bas, tu n'aurais pas assez à manger.

Tu pourrais te mettre à mendier, mais cela prend du courage, et tu n'en as plus depuis longtemps. Il ne te reste plus qu'une solution. D'autres enfants abandonnés comme toi t'en ont parlé : aller chez le docteur Barnardo.

Alors tu te mets en route vers les quartiers pauvres de l'est de Londres, où se trouve le foyer du docteur Barnardo, sur la chaussée de Stepney. Si tu avais appris à lire, tu serais rassurée dès ton arrivée, car l'écriteau qui se trouve devant la porte t'apprendrait que tous les enfants comme toi seront toujours accueillis à bras *ouverts. Tu ravales ta salive, tu montes les marches de l'escalier menant à la grande porte et tu demandes à entrer.*

La pire période de ton destin d'enfant abandonnée est maintenant un souvenir. Ils te lavent de la tête aux pieds, ils te coupent les cheveux et ils te donnent des vêtements chauds et des chaussures. Ils te donnent à manger. Ils te font lever tôt le matin et ils te tiennent occupée toute la journée, à te montrer le métier de servante. Ils te font apprendre la Bible, et tu apprends à lire. Tu rencontres le docteur Barnardo en personne. Il est toujours très occupé, mais il te sourit et il connaît même ton nom. Tu sens que tu es importante pour lui. Il y a très longtemps que cela ne t'était plus arrivé.

Puis on te fait une autre proposition.

« Que penserais-tu de partir pour le Canada? »

Les orphelins du docteur Barnardo choisis pour aller au Canada se faisaient dire qu'on leur donnait ainsi la chance de repartir du bon pied dans la vie, dans un pays tout neuf. Les familles canadiennes avaient besoin de leur aide domestique. Une fois qu'ils seraient rendus au Canada, on les enverrait à l'école s'ils avaient moins de douze ans. S'ils étaient plus vieux, ils recevraient un salaire en échange de leurs services, mais cet argent ne leur serait remis que lorsqu'ils seraient assez vieux pour voler de leurs propres ailes. Pour la plupart de ces enfants, cela représentait une grande aventure.

« À quoi ressemble le Canada? » se questionnaient-ils les uns les autres.

Personne ne le savait, mais des bruits couraient. C'était un pays merveilleux. Des gens qui s'y étaient installés étaient devenus très riches! Les familles canadiennes aimaient les orphelins comme leurs propres enfants.

En restant à Londres, dans le foyer du docteur Barnardo, on savait exactement à quoi s'attendre de la vie. Par contre, le Canada pouvait offrir des perspectives de réussite inimaginables en Angleterre. La plupart des enfants choisissaient de partir, et au plus vite. D'autres, plus hésitants, finissaient par partir, bon gré mal gré.

Des dizaines de garçons et de filles, chacun pourvu d'un coffre offert par le docteur Barnardo et marqué à son nom, ont ainsi gravi les passerelles des grands voiliers. Des enfants d'une même famille, comme Marianna et Jasper, ont pu traverser ensemble l'Atlantique, mais, une fois rendus au Canada, ils ont été séparés. Plusieurs ne se rendaient pas compte, avant de se retrouver à la gare de Belleville, à l'est de Toronto, qu'ils n'iraient pas dans le même foyer du docteur Barnardo que leur frère ou que leur sœur. Ce devait être déchirant pour ces enfants qui déjà avaient perdu leurs parents.

Les filles qui s'établissaient en Ontario étaient d'abord envoyées à Hazelbrae, le foyer d'accueil du docteur Barnardo à Peterborough. Les garçons allaient au foyer de la rue Peter (qui allait, plus tard, déménager sur l'avenue Farley), à Toronto. Ainsi, c'est une pure coïncidence si Marianna et Jasper, après avoir été séparés, ont eu le bonheur de se retrouver dans le même train allant à Guelph.

D'où est venue cette idée d'envoyer des orphelins anglais au Canada? Pourquoi le bon docteur Barnardo a-t-il envoyé un si grand nombre d'enfants en Amérique? Qui était le docteur Barnardo exactement?

Thomas John Barnardo était un jeune homme passionné, qui brûlait du désir de partir soigner les gens dans les missions, aux confins de la Chine. Incapable de réaliser son rêve, il s'est résigné à travailler dans une école pour les garçons de familles pauvres.

Puis s'est présenté Jim Jarvis, un jeune garçon qui allait changer le cours de la vie du docteur Barnardo. Dans un récit qu'il a lui-même écrit, le docteur Barnardo relate comment, un soir, tandis qu'il fermait son école, il s'est retrouvé avec un enfant qui restait là, après le départ des autres. Il a alors dit à l'enfant qu'il était l'heure de rentrer à la maison.

« Je n'ai pas de maison », lui a répondu Jim Jarvis.

Le docteur Barnardo lui a alors demandé où habitaient ses parents, et le garçon lui a répondu qu'il n'en avait pas.

« Où as-tu dormi, hier soir? » lui a demandé le docteur.

Le garçon a alors emmené le jeune docteur pour lui montrer où dormaient les garçons sans famille : sous les ponts, dans les ruelles, dans des réduits sous les combles de maisons à logements. Vêtus de haillons, se blottissant les uns contre les autres pour tenter de se réchauffer, tenaillés par la faim, ils dormaient à même le plancher. Ils survivaient en mendiant ou en volant de quoi manger un peu.

Thomas Barnardo en a été scandalisé et profondément remué. Dans les jours qui ont suivi, il s'est mis en quête d'un endroit où accueillir ces enfants, où ils pourraient vivre en toute sécurité et être nourris et logés. Il a d'abord ouvert un foyer pour les pauvres et les démunis à Stepney, un quartier pauvre de l'est de Londres. Par la suite, il a fondé un foyer à la campagne, pour les filles, dans le village d'Ilford, à l'est de

Londres, et aussi un refuge pour les tout petits, à Hawkhurst, dans le Kent, au sud-est de Londres. La nouvelle s'est vite répandue, et les garçons se sont mis à venir si nombreux pour demander refuge qu'un soir, un dénommé Carrots a été refusé, faute de place. Plus tard, on l'a retrouvé mort de froid. Le docteur Barnardo a été tellement consterné qu'il s'est juré que jamais plus un enfant ne se verrait refuser sa porte.

Le docteur Barnardo a toujours tenu la promesse qu'il s'était faite, même quand il est devenu de plus en plus difficile de trouver les fonds et les bâtiments nécessaires pour venir en aide à tant d'enfants abandonnés. Finalement, il s'est décidé à avoir recours à la solution imaginée par Annie Macpherson et Maria Rye, deux femmes qui avaient envoyé des enfants au Canada, où les gens réclamaient d'urgence de l'aide pour les travaux agricoles.

Plus de 60 000 orphelins ont ainsi été envoyés au Canada, de 1875 à 1930, par le biais des œuvres du docteur Barnardo. Pour bon nombre de ces enfants, l'issue a été positive. Ils se sont rapidement adaptés à leur nouvelle vie et, une fois adultes, ils se considéraient comme des Canadiens à part entière. Au moins un de ces orphelins a même hérité de la ferme de son employeur, conformément au vœu de celui-ci. Mais plusieurs enfants regrettaient leur vie en Angleterre. Ils avaient grandi dans un milieu urbain et ils n'avaient jamais vu de vache vivante, ils n'avaient jamais ramassé d'œufs sous une poule qui se défend à coups de bec et ils n'avaient jamais vécu ailleurs que dans le bruit d'une grande ville bondée de monde. Et leur accent était différent de celui des petits Canadiens. Ceux qui avaient survécu par leurs propres moyens, comme les enfants des rues d'aujourd'hui, n'étaient généralement pas habitués à recevoir des ordres de la part d'adultes qui supportaient mal de les voir ignorants et malhabiles.

Parmi tous les gens qui ont accueilli ces orphelins, certains se sont montrés trop exigeants envers eux et sont même allés jusqu'à les maltraiter. Des garçons ont été forcés de dormir dans des remises et ne recevaient pratiquement rien à manger. Des filles ont été victimes d'abus sexuels et, quand elles demandaient de l'aide, on refusait de les croire. Il y a même eu quelques cas où un fermier a été reconnu coupable du meurtre de l'orphelin qu'il hébergeait.

Devant de telles conditions de vie, certains orphelins se sont rebiffés et ont tenté de s'enfuir. Quand les gens du docteur Barnardo étaient mis au courant de ces mauvais traitements, ils pouvaient replacer les enfants dans d'autres fermes où, espérait-on, ils seraient plus heureux. Certains orphelins ont ainsi dû être replacés jusqu'à dix fois! Il est difficile de lire des histoires aussi déchirantes.

Les agents du docteur Barnardo, dont le rôle était de s'assurer que les enfants étaient en sécurité et heureux là où ils étaient placés, ne faisaient que de rares visites, et toujours très brèves. Les maisons et fermes d'accueil étaient souvent perdues en pleine campagne et très éloignées les unes des autres. Souvent, les agents rencontraient les enfants en présence des adultes, ce qui ne se ferait pas de nos jours, de sorte que les enfants pouvaient avoir peur de mentionner qu'il y avait un problème. Quelques-uns ont quand même osé raconter leurs malheurs, et ils se sont vus infliger une dure leçon de morale, au lieu de recevoir le réconfort dont ils avaient besoin.

Petit à petit, on s'est rendu compte que ce système d'immigration juvénile exigeait une réforme. En 1924, le gouvernement travailliste nouvellement élu en Grande-Bretagne a décidé que les orphelins, en leur qualité de sujets britanniques, devaient rester au pays, au moins jusqu'à l'âge de quatorze ans. Le dernier établissement pour enfants immigrés, l'école Fairbridge Farm située à Duncan sur l'île de Vancouver, a fermé ses portes peu de temps après la fin de la Seconde Guerre mondiale.

Qu'est-il advenu de tous ces orphelins, par la suite? Plusieurs sont devenus domestiques ou ouvriers agricoles. D'autres se sont mariés et ont fondé une famille bien à eux. Certains n'ont jamais confié à leurs enfants qu'ils avaient immigré au Canada en tant qu'orphelins. D'autres, au contraire, étaient fiers de ce qu'ils avaient réussi à accomplir dans leur vie et ils étaient contents de le raconter à qui voulait les entendre. Un certain nombre d'orphelins ont poursuivi des études pour devenir enseignants, infirmières ou médecins. Peut-être comptes-tu l'un d'entre eux parmi tes grands-parents, tes grands-tantes ou tes grands-oncles. Va le demander aux plus âgés des membres de ta famille, et tu verras bien ce que tu pourras apprendre.

Les grands-parents de ma propre mère ont pris chez eux un orphelin du docteur Barnardo. Il s'appelait Tom et il aidait mon arrière-grand-père dans sa forge. Tom n'avait aucun souvenir de son véritable nom de famille. Il portait celui que les gens de chez le docteur Barnardo avaient décidé de lui donner. Une fois bien installé dans sa nouvelle vie, il a demandé à mon arrière-grand-père de lui laisser porter son nom, car il voulait un nom dont il pourrait être fier. Mon arrière-grand-père lui a répondu qu'il se sentait très honoré, et le garçon a donc pris le nom de Tom Mellis. Puis, quand il a été adulte, c'est lui qui a repris la forge. Ses nombreux descendants portent aujourd'hui le nom de Mellis.

Un petit nombre de ces orphelins sont toujours en vie, au Canada. J'ai ainsi pu rencontrer l'une d'entre elles en personne, seulement deux semaines avant sa mort. Ethel Crane est décédée en l'an 2000, à l'âge de 102 ans. Elle était venue au Canada avec sa sœur et son frère, en 1914. Ethel était l'une de ces pauvres enfants qui ne savaient pas, avant d'arriver à la gare de Belleville, qu'elle serait séparée de son frère et de sa sœur, chacun des enfants étant envoyé dans des foyers différents.

Ethel a eu une vie difficile, mais elle a fini par retrouver sa sœur et son frère et, par la suite, elle s'est mariée. Elle a appelé son fils Alfred, en souvenir de son frère. Elle était malade lorsque je l'ai rencontrée. Quand elle m'a dit qu'elle se souvenait très bien du docteur Barnardo, je me suis sentie comme si j'étais en présence d'un pan d'histoire.

« C'était un homme très bon, m'a-t-elle expliqué. Tout le monde l'aimait. Il s'occupait de chacun de nous. »

Voilà qui ferait une belle épitaphe à inscrire sur la tombe de Thomas John Barnardo.

TROUSSEAU D'UNE ORPHELINE
DU DOCTEUR BARNARDO EN 1898

1 coffre neuf
1 étiquette
1 clé
1 nécessaire à écriture
1 brosse et 1 peigne
menus objets
1 mouchoir
1 Bible
1 livre de psaumes
2 robes habillées (noir et ocre)
2 robes imprimées
2 robes de flanelle de coton
2 robes de cotonnade
jarretelles
lacets à souliers et à bottines
1 brosse à dents
8 petites serviettes dans
   leur sachet

2 paires de bas d'hiver
2 paires de bas d'été
2 jupons de flanelle de coton
1 jupon d'hiver
1 jupon d'été
2 tabliers de grosse toile
2 tabliers de toile de Hollande
2 tabliers de mousseline
1 doublure de manteau
1 béret écossais
1 chapeau
1 paire de bottines
1 paire de gros souliers
1 paire de pantoufles
1 paire d'espadrilles
1 paire de gants

Parmis les menus objets se trouvaient, par exemple, des boutons et des épingles.

La reine Victoria a eu le plus long règne de tous les souverains britanniques. Elle a dirigé l'Empire pendant soixante-quatre ans, de 1837 à 1901. La ville de Victoria, en Colombie-Britannique a été baptisée en son honneur. La province de l'Alberta tire son nom de son tendre époux, Albert. Entre autres tableaux de famille, elle a fait peindre le portrait de sa chienne carlin, appelée May, avec toute sa portée.

La parade en l'honneur des soixante années de règne de la reine Victoria, à Londres, en Angleterre, le 22 juin 1897.

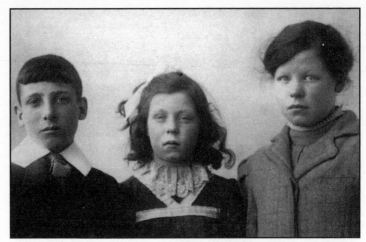

Ethel Parton (à droite) s'est portée volontaire en 1914 pour partir au Canada avec sa sœur Hilda, son frère Alfred et d'autres orphelins. L'auteure a pu rencontrer Ethel en personne avant sa mort en l'an 2000, à l'âge de 102 ans.

Dans ce cliché datant de 1912, la veuve du docteur Thomas Barnardo fait ses adieux à un groupe d'orphelines. Elles s'apprêtent à monter dans un train spécial, à destination de Liverpool, où elles s'embarqueront pour le Canada.

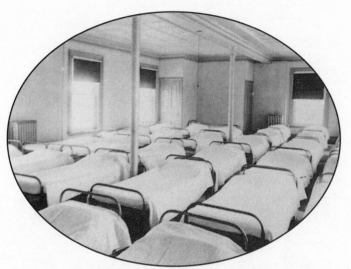

Un dortoir de Hazelbrae, le foyer des orphelines du docteur Barnardo à Peterborough, en Ontario. Les filles y restaient pour une courte période de temps avant d'être placées dans des familles canadiennes.

Une salle de classe à Hazelbrae, avec des filles habillées à peu près de la même façon, en train d'apprendre leurs leçons.

La maison où se situe l'action du journal de Victoria Cope, là même où a grandi l'auteure, Jean Little.

Une rue de Guelph dans les années 1870. Peterborough, où se trouvait le foyer de Hazelbrae, a aujourd'hui une rue Barnardo, ainsi nommée en souvenir du docteur Thomas John Barnardo.

Hazelbrae, vu de l'extérieur. C'était un grand bâtiment cédé en 1883, sans charge de loyer, aux œuvres de charité du docteur Barnardo par George A. Cox, maire de Peterborough et président de la Midland Railway Company of Canada. Cette vaste résidence pouvait héberger jusqu'à 150 enfants. Elle a servi de centre de transition pour les orphelines du docteur Barnardo nouvellement arrivées au Canada, de 1868 à 1922.

Comment faire une mouche de moutarde

Prendre une bande d'un vieux drap de lit, d'environ un pied sur deux, tout dépendant de la largeur de la poitrine du malade.

Dans une tasse, mélanger ensemble : une demi-tasse de farine, une cuillerée à table comble de moutarde en poudre et une cuillerée à thé de soda à pâte.

Ajouter de l'eau de façon à obtenir une pâte épaisse.

Étendre ce mélange sur la moitié de la bande, dans le sens de la longueur. Replier l'autre moitié par-dessus et replier les deux bouts.

Poser la mouche de moutarde sur la poitrine dénudée du malade et laisser agir pendant vingt minutes. Prendre bien soin que le mélange ne soit pas en contact direct avec la peau.

Recette de gâteau au caramel

½ tasse d'huile de pépins
  de raisin Watkins

1¼ tasse de sucre granulé

2 œufs

1 c. à thé d'essence
  de caramel Watkins

1 c. à thé de beurre clarifié

2 tasses de farine tout usage

1 c. à table de poudre à pâte
  Watkins

½ c. à thé de sel (facultatif)

1 tasse de lait

glaçage au caramel

Mélanger l'huile et le sucre, en ajoutant les deux ingrédients en alternance et en battant bien entre chaque addition.

Ajouter les œufs, un à la fois, en battant bien après chaque addition. Ajouter l'essence de caramel et le beurre. Mélanger.

Mélanger la farine, la poudre à pâte et le sel. Ajouter le tout au mélange précédent, en alternance avec le lait, en commençant et en terminant avec les ingrédients secs. Bien mélanger.

Verser dans 2 moules à gâteau ronds de 8 pouces de diamètre, beurrés puis farinés.

Faire cuire à 350 °F pendant 30 à 35 minutes.

Laisser refroidir dans les moules. Retirer ensuite des moules. Monter avec le glaçage au caramel entre les deux gâteaux, puis tout le tour et terminer par le dessus.

Glaçage au caramel

2½ c. à table de mélange à crème-
  dessert au caramel Watkins

½ tasse de cassonade

1 tasse de lait

2 jaunes d'œuf

2 c. à table de beurre
  ou de margarine

½ c. à thé d'essence
  de caramel Watkins

1¾ à 2 tasses de sucre
  en poudre tamisé

Dans une petite casserole, faire fondre le beurre. Ajouter la cassonade et faire cuire jusqu'à ce que le sucre soit fondu (plus ou moins liquide) en battant au fouet.

Incorporer les jaunes d'oeuf en battant toujours, puis ajouter le mélange à crème-dessert.

Incorporer le lait et l'essence de caramel.

Laisser refroidir complètement.

Incorporer autant de sucre en poudre que nécessaire pour obtenir un glaçage de la consistance voulue.

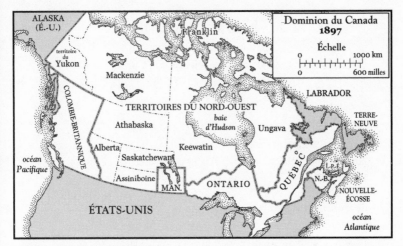

Le dominion du Canada en 1897

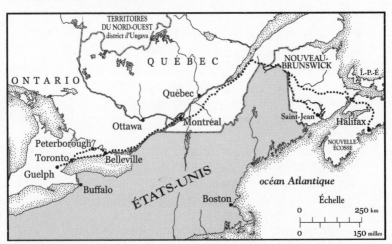

*Les lignes pointillées représentent les trajets en train effectués par les orphelins,
après être descendus des bateaux qui les avaient emmenés de l'Angleterre jusqu'au
Canada. À partir de Belleville, les filles prenaient un train qui les emmenait
à Peterborough, où se trouvait le foyer de Hazelbrae, tandis que les garçons
se rendaient au foyer du docteur Barnardo situé sur la rue Farley à Toronto.
De nombreux orphelins ont ensuite poursuivi leur route plus loin vers l'ouest,
où ils allaient travailler dans les fermes des Prairies.*

Remerciements

Nous adressons nos plus vifs remerciements aux personnes et institutions ci-dessous qui nous ont permis de reproduire leurs documents :

Photo de la couverture : W. J. Topley/Archives nationales du Canada, détail, photographie coloriée, PA 151708.

Arrière-plan de la couverture : Archives nationales du Canada, photographie coloriée, PA 41785.

Page 220 : Gracieuseté de Woodland Publishing et Gail Corbett, tiré de *Barnardo Children in Canada*.

Page 221, en haut : Archives nationales du Canada, C-019313.

Page 221, en bas : Archives nationales du Canada, C-028727.

Page 222, en haut : Gracieuseté d'Alfred Crane et du *Record* de Kitchener.

Page 222, en bas : Archives photographiques Barnardo.

Page 223 : Archives municipales/Peterborough Centennial Museum and Archives.

Page 224, en haut : Gracieuseté de l'auteure.

Page 224, en bas : Archives nationales du Canada, 103121.

Page 225, en haut : Archives municipales/Peterborough Centennial Museum and Archives.

Page 225, en bas : Gracieuseté d'Ailsa Little.

Page 226 : © 1999 WATKINS : HEALTHIER LIVING SINCE 1868, pour l'original anglais ici traduit.

Page 227 : Cartes exécutées par Paul Heersink / Paperglyphs. Données des cartes (Copyright © Gouvernement du Canada, 2000) reproduites avec la permission de Ressources naturelles Canada.

Mes remerciements à Barbara Hehner, pour la vérification attentive de mon manuscrit, et à Joy Parr, auteure de *Labouring Children*, pour son expertise historique.

À Mary Ronzio,
recherchiste de talent et très chère amie.

Quelques mots à propos de l'auteure

Ma sœur orpheline est le trente et unième titre de Jean Little. Elle a commencé à écrire dans son enfance et, encouragée par sa famille, elle n'a jamais cessé depuis. Le poème de Victoria, dans son journal à la journée du 13 septembre, a été composé par Jean à l'âge de douze ans (dans sa version originale anglaise).

Jean Little est l'auteure de seize romans et de sept albums illustrés, de trois recueils de nouvelles et de poésie, et de deux autobiographies. Ses livres lui ont valu plusieurs prix prestigieux, comme le CLA Book of the Year Award, le Ruth Schwartz Award, le Canada Council Children's Literature Prize, le Violet Downey Award, le Little, Brown Canadian Children's Book Award, le Boston Globe-Horn Book Honor Book Award et, en 2003, le Prix du livre de M. Christie pour *Pippin the Christmas Pig* (en francais : *Le Noël de Pétunia*). Elle a également reçu, en 1974, le Vicky Metcalf Award pour l'ensemble de son œuvre et elle est membre de l'Ordre du Canada.

Jean a conçu son premier roman alors qu'elle enseignait au centre pour les enfants handicapés de Guelph. Sally, l'héroïne de l'histoire, est un personnage exceptionnel. Comment Jean est-elle arrivée à lui donner tant de profondeur et de vérité? Peut-être parce qu'elle était capable d'imaginer ce que pouvait être la vie d'une petite fille confrontée à un handicap physique. Et si vous rencontrez Jean, ne soyez pas surpris de la découvrir toujours accompagnée d'un chien, car elle est aveugle. Le chien qui l'accompagne pour le moment s'appelle Pippa et il est auprès d'elle depuis deux ans. Auparavant, Jean avait un labrador noir appelé Ritz et, avant lui, un labrador blond prénommé Zephyr.

Comment Jean fait-elle pour écrire ses livres? Elle tape son texte sur un ordinateur qui, grâce à un programme spécial, le lui relit ensuite à voix haute. Elle lit tout le temps, généralement des livres enregistrés sur cassette audio, même quand elle travaille à l'écriture d'un de ses propres livres. Jean dit que, si quelque chose l'empêche de lire, elle devient incapable d'écrire.

Les lecteurs soulignent souvent que les personnages créés par Jean dans ses livres sont criants de vérité, de réalité. Jean dit que ses personnages naissent au fond d'elle-même, qu'ils habitent ses pensées et que ce sont eux qui lui demandent d'être couchés sur le papier.

« Mes personnages sont tellement réels pour moi, dit-elle, que si je suis rendue à la moitié de mon texte et que je décide de laisser tomber, ce qui me fait continuer malgré tout, ce sont eux. Parce que ne pas terminer mon histoire, c'est comme les tuer. Leur seule chance d'avoir une vie, c'est si je termine mon livre. »

La plus grande qualité de Jean, c'est de savoir écouter ses personnages et de les suivre dans leur cheminement en se laissant porter par son incroyable talent pour créer des histoires faites de tensions et drames, et peuplées de personnages profondément humains.

« La seule responsabilité d'un écrivain, a-t-elle dit un jour, est de recevoir, dans toute sa vérité, l'histoire qui l'a choisi pour devenir son auteur. »

Jean a grandi à Guelph, dans la maison qu'elle a choisie pour situer l'action du journal de Victoria Cope. Elle se rend souvent dans des écoles pour y rencontrer les lecteurs et les lectrices de ses nombreux romans. Elle leur dit toujours qu'il n'y a pas de meilleur endroit où mettre leur nez que dans un livre.

Catalogage avant publication de Bibliothèque et Archives Canada

Little, Jean, 1932-
[Orphan at my door. Français]
Ma sœur orpheline, Victoria Cope / Jean Little;
texte français de Martine Faubert.
(Cher Journal)

Traduction de : Orphan at my Door.
Pour les 9 ans et plus.
ISBN 0-439-95870-9

I. Faubert, Martine II. Titre. III. Collection.

PS8523.I77O7614 2005   jC813'.54   C2004-906751-6

Le titre a été composé en caractères Phaistos.

Le texte a été composé en caractères Goudy Old Style.

Cher Journal

Dans la même collection :